DU MÊME AUTEUR

Aux Éditions Gallimard

JOSEPH CAILLAUX, Folio/Histoire, 1985.

UN COUPABLE, 1985

Chez d'autres éditeurs

LA RÉPUBLIQUE DE M. POMPIDOU, Fayard, 1974.

LES FRANÇAIS AU POUVOIR, Grasset, 1977.

ÉCLATS (*en collaboration avec Jack Lang*), Simoen, 1978.

JOSEPH CAILLAUX, Hachette, 1980.

L'AFFAIRE, Julliard, 1983.

L'ABSENCE

JEAN-DENIS BREDIN

L'ABSENCE

roman

GALLIMARD

I

J'ai connu Claude au lycée Louis-le-Grand en classe de philo. Son père enseignait le grec à la Sorbonne. Tout au long de l'année Claude prit la première place dans les matières nobles. Il triomphait comme en se jouant, mais il savait se le faire pardonner à force de prévenances. Après le bachot je ne le revis plus. Je sus qu'il avait été reçu à Normale Sup, à l'agrégation de lettres, qu'il avait écrit deux ou trois livres, vagabondé dans le journalisme, et même effleuré la politique. Puis il s'était installé dans l'édition. Nous avions l'un et l'autre passé nos cinquante ans quand nous nous sommes retrouvés par hasard, un soir d'été, invités chez des amis communs à Saint-Germain-des-Prés. Claude Hartmann se tenait immobile, les bras croisés, il hochait la tête, écoutant ou feignant d'écouter. Je m'ennuyais. Il s'ennuyait. Cela nous rapprocha. Claude n'avait guère changé : très grand, un peu voûté, mal habillé par principe, avare de gestes, s'ingéniant à vous attirer, du regard, du sourire, puis vous tenant à distance à force de courtoisie.

Nous nous sommes revus, beaucoup revus, près d'une

9

fois par semaine pendant cinq ans. Je doute qu'il y ait pris vraiment plaisir, mais il me suffisait, à moi, de le voir, de l'écouter. Peut-être étais-je une halte dans sa vie trop compliquée, encombrée de travaux, d'obligations et d'amies. Plusieurs fois il me confia qu'il aurait aimé se marier, avoir un enfant, prendre racine... mais il ne s'en croyait plus capable. Il disait que le temps était son seul ennemi, qu'il écrasait tout moment entre l'anxiété qui le précédait et les regrets qui le suivaient. Ainsi avait-il gâché chaque occasion, ne connaissant des choses que leur avant ou leur après. C'était, pensait-il, la faute de son éducation, elle n'avait connu que deux situations sûres : le devoir à faire et le devoir accompli. Le bruit courait autour de lui qu'il avait des difficultés d'argent, qu'il en distribuait trop, à trop de gens. On racontait ses gestes de générosité folle. De cela il ne me parla jamais. Il ne parlait de rien qui lui tînt vraiment à cœur. La dernière année j'observais qu'il devenait taciturne, triste même quand tombait la nuit. Cela me préoccupait.

C'est en novembre qu'il partit pour Venise, comme chaque année à la même date. Il m'invita à dîner, quelques jours avant son départ, dans l'un de ces bistrots qu'il affectionnait parce qu'on l'y entourait d'égards, et que chaque table, chaque lumière lui était familière. Il parlait en regardant le plafond, et de plus en plus vite. Il m'expliqua que nous n'étions pas des adultes, lui et moi, rien que des enfants vieillis, de très vieux enfants, que la mort ramasserait deux gamins délabrés. Il me l'avait déjà dit, il se répétait souvent, mais joliment. Vers onze heures il se leva. J'étais habitué à sa manière brusque de s'en aller, presque de s'enfuir. Il m'embrassa, comme il embrassait tout le monde, de très loin, et il s'enfonça dans la nuit, courant ou presque. Ce fut la dernière fois.

II

Venise était son voyage de novembre. En décembre il allait à Rome, en mars à Amsterdam, en mai à Marrakech, en septembre à Sienne. Claude passait tout l'été à Paris. Son calendrier ne laissait place qu'à deux ou trois improvisations. Elles devenaient de plus en plus rares. Ses voyages, à peu près immuables, découpaient l'année comme le cours des saisons.

Il partait pour Venise le 4 ou le 5 novembre, toujours avec Hélène. Ils rentraient le 11 ou le 12, le 12 de préférence, car il n'aimait pas retrouver Paris un jour de fête, quand l'ennui des dimanches lui tombait dessus. Une ou deux fois ils n'avaient quitté Paris que le 10 novembre, mais ce décalage l'avait contrarié, l'amenant trop tard à Venise, trop près de l'hiver, et rompant tout l'équilibre de ses autres voyages. Le premier séjour à Venise datait déjà de dix ans. Claude était tombé amoureux d'Hélène, au début du printemps, le temps d'un dîner. Il avait été rassuré par ce coup de cœur. Hélène avait vingt ans, elle ressemblait à une amazone, avec des jambes qui n'en finissaient pas, des yeux d'un vert profond, le plus souvent cachés dans la crinière de ses cheveux. Elle parlait peu, distillant des mots poétiques qu'elle modulait trop, elle ne savait pas grand-chose mais elle semblait tout deviner. Elle vivait seule, sans heure, sans habitude, elle travaillait à devenir peintre. En huit jours Claude s'était cru fou d'amour. Tous les soirs, parfois même l'après-midi, il restait chez lui pour attendre un coup de fil, il n'osait appeler lui-même, il commençait le numéro, il raccrochait, il passait des heures à espérer, il s'endormait assis à sa table, la tête sur le coude. Hélène aussi devint amoureuse, plus tard, plus lentement, elle lui dit dès le début du mois de mai qu'elle l'aimait, en juin elle lui avoua qu'elle n'avait jamais aimé personne autant que lui, que lui seul avait tout compris d'elle. Ils s'écrivaient tous les jours, ils restaient mêlés de longs après-midi, chez lui, chez elle, ils se couvraient de petits cadeaux.

Chaque jour en juin puis en juillet elle l'aima davantage ; lui, chaque jour, un peu moins. Ils décidèrent de passer le mois d'août en Bretagne, il y consentit à regret, pour tâcher de revigorer son cœur, mais il eut beau faire, les longues marches à travers les rochers, et les bains sous la lune, tout faire pour sauver leur amour, celui-ci filait de jour en jour. Claude ne regardait plus Hélène que pour lui faire plaisir, il écourtait leurs corps à corps, il téléphonait souvent à Paris pour se rassurer, il recommençait à s'ennuyer, il parlait pour remplir les vides. Hélène s'appliquait, elle escaladait les rochers, cheveux au vent, elle courait les seins nus dans les criques, elle courait mal, les seins trop lourds, leur rencontre devenait un gâchis qu'il tentait d'arrêter, qu'elle tâchait de ne pas voir, car elle l'aimait, elle l'aimait même distant, même triste. Le jour du retour ils ne se dirent pas un mot. Claude lui tint la main dans l'avion. Elle retenait ses larmes. A Paris, dans le taxi, il lui dit, très vite, qu'il craignait de ne plus l'aimer, que ce n'était pas sa faute à elle mais son infirmité à lui, qu'il se savait incapable d'aimer vraiment, d'aimer longtemps, il lui demandait pardon, elle restait muette, elle pleurait à peine, il lui disait qu'ils se reverraient, ils iraient à Venise en novembre si elle le voulait bien, les musées, les églises, les canaux, ils feraient l'amour doucement, comme de grands amis, ainsi allaient les choses, personne n'y pouvait rien, l'essentiel était de ne pas se perdre. Elle dit oui, elle aurait dit oui à n'importe quoi, bien sûr elle avait eu tort de partager un mois plein avec lui, un mois, chaque minute, chaque geste, une folie, peut-être que huit jours à Venise... Quand ils furent chez elle, devant sa porte, il l'embrassa plusieurs fois, il sécha tendrement ses larmes du revers de la main, le taxi attendait, Hélène lui dit : « Au revoir » sur un ton tranquille, elle sourit, ou presque, il fut rassuré, il avait horreur des ruptures, celle-ci ne s'était pas trop mal passée.

En novembre, ils allèrent à Venise. Il se dépensa pour la distraire, s'ingéniant à la guérir. Il connaissait Venise par cœur, il en parlait à merveille, les peintres l'ennuyaient mais il savait tout de la peinture vénitienne, elle fut contente de n'avoir pas envie de pleurer et d'apprendre tant de choses. Il la tint à juste distance, assez près pour qu'elle fût heureuse, assez loin pour qu'elle ne gardât aucune illusion. Le soleil les accompagna jusqu'à la porte des églises, les pâtes furent délicieuses, tout se passa bien, sauf l'avion du retour, Hélène éclata en sanglots, on les regardait, Claude lui parla très bas, très vite, il lui dit que leur aventure ne ressemblait à aucune autre, qu'ils resteraient irremplaçables l'un pour l'autre, complices pour toujours. Venise serait leur royaume à tous deux.

Chaque année, ils y revinrent, le même avion, aux mêmes dates, le même hôtel, surtout pas un palace, un petit hôtel raffiné sur une place discrète, tout près du Grand Canal, la même chambre, la plus chaleureuse. Le matin ils partaient bras dessus bras dessous, sans but, toujours les mêmes itinéraires que traçaient le soleil et les habitudes, Venise se peuplait de leurs souvenirs, jamais ils ne prenaient le vaporetto, ni les gondoles, seulement le taxi pour Torcello le troisième jour. Parfois ils s'indignaient d'une église fermée, d'un restaurant repeint, tout leur appartenait ici, ils entendaient tout retrouver, dans les chapelles le même banc, dans les bars la même table, ils faisaient de moins en moins l'amour, mais ils se taisaient là-dessus, parfois ils se croyaient ensemble, le plus souvent côte à côte, n'importe, Venise les enlaçait d'une mélancolie douce. Ils veillaient l'un et l'autre à ce qu'aucun moment ne fût raté, ils savouraient, dans leurs vies écartées, cette promenade qui ressemblait au bonheur, avec une seule ombre, l'adieu du retour à Paris, mais ils avaient trouvé la bonne manière, sans un geste, sans un mot.

Maintenant Hélène vivait avec un peintre, très sombre,

15

plus jeune qu'elle, auquel elle prêtait du génie. Elle l'aidait de son mieux. Elle croyait vieillir, elle aimait sa présence. Elle lui avait expliqué que le voyage à Venise, en novembre, faisait partie de sa vie, de son équilibre, impossible d'y renoncer, « Claude est un peu mon père... et j'ai besoin de Venise ». Hélène savait que la vie de Claude était coupée d'autres voyages. Chaque voyage, toujours le même, avec une femme, toujours la même, Venise, les autres, il ne mélangeait rien. A l'heure dite, il ouvrait un tiroir de sa vie, puis il le refermait. Cinq jours à Rome, en décembre, avec Esther, une comédienne à peu près folle qu'il avait cru aimer tout un hiver pour ses jambes et pour sa voix. Dix jours à Marrakech avec Marie, ils avaient vécu ensemble près d'une année, son seul épisode de vie commune, un désastre, Marie continuait de l'attendre, il désespérait de la guérir, elle buvait, elle ne vivait que de boire et de se préparer pour Marrakech. En mars il passait trois jours à Amsterdam avec Astrid, le seul corps auquel il n'avait découvert aucun défaut. Astrid lui avait dit : « Tu es sordide et tu es mufle. La durée de tes voyages est en proportion de tes liaisons. » Elle pouvait tout lui dire. Avec elle il n'avait jamais rien partagé que la soif. A peine arrivés à l'hôtel, ils se jetaient l'un sur l'autre, trois jours ils restaient enlacés, collés comme des lutteurs, pas dix mots, pas un souvenir. Non il ne pensait pas être un mufle. Au contraire, il ne confondait ni les chambres ni les gens. Chaque royaume avait ses frontières, chaque femme lui était unique le temps court de sa rencontre, pour elle il n'avait qu'un seul ciel, qu'un seul lit. Non pas mufle, mais trop fidèle, incapable de rien bouger, de jamais trahir. C'était dans ses rêves que tout craquait, que tout se mêlait. Marie dormait avec Esther. Pour lui, Astrid défiait Hélène en combat singulier. Toutes vêtues de noir, elles s'agenouillaient côte à côte, au premier rang, elles priaient à son enterrement. Il n'y avait plus ni Venise ni Amsterdam, plus de matin ni de soir, mais des forêts immenses coupées de gratte-ciel, des soleils jamais couchés, des villes folles qu'il inventait, des femmes sauvages, sans mot d'amour, sans rendez-vous, ivres d'aventure, elles lui tournaient le dos, des dos superbes, il regardait s'enfuir des régiments de jambes nues, trop longues comme il les aimait, oui son rêve était un fabuleux chaos d'arbres, de monuments, et de corps confondus, un désordre magnifique, le contraire de sa vie. Sa vie ressemblait à un meuble familier, des placards, des chemises, des femmes, des amis, cinq jours, une heure, le temps d'un coup de fil, rien que des morceaux, il ne pouvait la construire autrement, elle était ainsi depuis l'enfance, découpée en leçons et en devoirs, minutée comme un temps d'écolier. Le fouillis, le tumulte, le n'importe quoi appartenaient à d'autres, à de jeunes poètes, à des écologistes, lui il allait vers ses soixante ans, de trop lourds paquets à porter, et sa montre qui ne quittait plus son bras.

Hélène lui téléphona comme d'habitude le dernier dimanche d'octobre, juste avant dîner. Elle savait qu'à cette heure il était toujours seul chez lui. Elle lui demanda de ses nouvelles. Il allait bien. Elle aussi.

— Hélène, veux-tu venir à Venise avec moi? Nous partirions vendredi par l'avion de dix heures.

Elle le trouva plus lointain encore que les autres années, elle eût aimé être un peu bousculée, ou qu'il fît semblant. Elle dit :

— Tu es sûr que tu le veux vraiment ?

Il laissa s'installer le silence. Elle eut peur d'avoir été maladroite. Fatigué, il avait mille raisons de l'être, les affaires, l'argent, la famille, son cœur aussi qui commençait à lui donner des soucis. Venise lui ferait du bien, comme à elle. Elle reprit :

— Tu veux bien passer me chercher ?

Il répondit, presque sèchement :

— Comme toujours.

Il regretta ce « comme toujours ». Mais elle avait eu tort de l'interroger, de lui poser une question indiscrète, elle savait bien qu'il voulait aller à Venise sans le vouloir vraiment, que ce voyage ne dépendait pas d'eux. Il ajouta pour la rassurer :

— Je suis heureux de partir avec toi.

Le ton manquait, c'étaient quand même les mots, elle avait appris à se contenter des mots de la tendresse, des mots de la gentillesse, de toute manière le téléphone gâchait tout, ils avaient probablement plus de plaisir qu'ils ne feignaient à partir ensemble, à Paris une énorme pudeur les paralysait, l'habitude aussi de ne pas se voir ; là-bas, dans leur patrie, les sourires, les gestes, le plaisir, tout reviendrait.

Elle dit :

— Veux-tu dîner avec moi mardi ?

— Malheureusement je suis déjà pris, j'aurais beau-

18

coup aimé. Mais ce jour-là je dîne avec un ami. Je te prie
de m'excuser...

Elle ne le crut pas. Elle rit pour lui montrer qu'elle
n'était pas dupe, elle rit à peine pour ne pas le froisser. Il
feignit de rire aussi.

— A vendredi donc. Je serai exact.

Il raccrocha.

Ce mardi 1ᵉʳ novembre je dînai avec lui.

III

C'est le mercredi matin, vers neuf heures, que Thérèse lui téléphona. Claude était sur le point de sortir. La voix de sa sœur l'inquiéta. Elle ne l'appelait que le soir, avant ou après dîner, presque tous les jours, ils bavardaient longuement.

— Oui, ma Thérèse, qu'est-ce qui se passe?

— Pardonne-moi, c'est au sujet de Maman, je voudrais te voir très vite.

— C'est grave?

— Oui et non.

Il savait bien que c'était grave, ce coup de téléphone du matin, la voix précipitée de Thérèse, ce souci de le voir vite.

— Maman est malade?

— Oui, Claude! J'ai besoin de te voir.

Les mots qui suivent, Thérèse les sait par cœur. Elle a tout dans la tête de ces jours-là.

— Je pars pour Venise vendredi matin, j'emmène Hélène. Je ne peux faire autrement. Je passerai chez toi tout à l'heure, avant dîner. C'est grave?

— Viens à n'importe quelle heure... je t'embrasse...
ne te fais pas de souci.

Toujours elle répétait à son frère : « ne te fais pas
de souci. » Elle aurait voulu que la vie lui fût légère,
vivre près de lui comme un éventail, pour chasser les
problèmes.

— A ce soir, ma Thérèse.

Il appelait sa sœur « ma Thérèse » ou bien « mon
amour » ou « ma chérie », rarement de son seul prénom,
le prénom seul convenait aux autres femmes, « mon
amour », « ma chérie », ces mots appartenaient à sa sœur.
Parfois leurs amis en plaisantaient, Claude et Thérèse
étaient nés à onze mois de distance, presque jumeaux, ils
s'aimaient trop, mais leurs amis rapetissaient tout, à leur
mesure, non Thérèse n'était pas pour lui une femme, il ne
regardait jamais ni son corps ni même son visage, sa sœur
était un autre soi, il n'aurait pu la toucher, ils s'embrassaient à peine, pour l'usage, mais elle seule pouvait aller
en dedans de lui, lui en dedans d'elle, ils avaient le même
regard, ils aimaient les mêmes gens, les mêmes plats, elle
lui disait : « J'ai pleuré en voyant ce film », il savait qu'il
pleurerait aussi, elle était son aînée d'un an, maintenant
presque vieille, vieille ou jeune il n'en savait rien, elle
n'avait pas d'âge, ni de ventre ni de seins, Thérèse ne
ressemblait qu'à sa sœur. Comme lui elle avait beaucoup
séduit, par don, par jeu, elle avait vécu avec une dizaine
d'hommes, s'ingéniant à les aimer, tous l'avaient encombrée, comme lui elle n'avait pas eu d'enfant, maintenant
elle demeurait seule dans un musée d'objets rares,
ramenés de ses voyages, de ses rencontres, pour vivre elle

faisait un peu l'antiquaire. Ils dînaient ensemble deux fois par semaine, le mercredi et le dimanche, ils n'y manquaient jamais sauf le temps des voyages. Ils savaient tout l'un de l'autre, sans rien dire ou presque, partageant chaque émotion, ils se taisaient ensemble, complices du fond du temps, ils avaient peur d'être arrachés l'un à l'autre, ils avaient peur de la mort, l'un derrière le cercueil de l'autre, ils ne pourraient le supporter. Ils riaient de leurs amants, ils dressaient des bilans d'échec qu'ils exagéraient, ils s'étaient juré de vieillir ensemble, de finir ensemble, ils savaient qu'ils ne le feraient pas, par pudeur, par peur, mais ce rêve les réchauffait.

L'appel de Thérèse ne laissait aucun doute : trois jours avant son départ, leur mère tombait malade. Toujours leur mère avait fait ainsi, souffrante pour contrarier un voyage, absente pour gâcher une fête, si douée pour empêcher les autres de vivre. Très vieille elle n'avait pas changé. Claude allait la visiter une fois par semaine, le dimanche après-midi. Elle était écroulée dans son fauteuil, les mains jointes sur le ventre, figée dans son rôle d'impotente, elle aurait pu marcher, elle ne voulait plus marcher, à quoi bon quitter ce fauteuil, et pour aller où ?

— Claude, c'est toi ?

— Oui, Maman. C'est moi. Je vous apporte des chocolats.

Il s'asseyait en face d'elle, à trois pas, elle le voyait à peine, elle devenait lentement aveugle, moins vite qu'elle ne disait, mais elle anticipait son rôle d'aveugle, jamais elle n'avait porté de lunettes, une femme ne porte pas de lunettes et rien ne méritait plus d'être vu. Vieillir, ne pas voir, ne pas entendre, porter des lunettes, tout participait du désastre, elle avait quatre-vingt-trois ans, cela faisait vingt ans qu'elle annonçait sa mort, elle y était entrée à force de s'y préparer, Claude restait une heure ou deux, il la regardait, sa mère si grosse, la tête trop lourde enfoncée dans les cheveux blancs, mais les yeux encore transparents, immobiles comme un ciel du soir.

— Claude, parle-moi.

Il lui résumait *Le Figaro*, il commentait le carnet mondain, les morts surtout, elle ne s'occupait que des morts, il décrivait la vie littéraire qu'il travestissait pour parler des auteurs qu'elle chérissait, les mêmes depuis sa jeunesse, il racontait l'Opéra, elle ne cessait de hocher la tête, de soupirer, non rien n'avait plus d'intérêt, les nouvelles du monde il les passait sous silence, tous ces événements venaient de trop loin pour elle, ou trop tard, il inventait pour la faire sourire quelques nouvelles drôles, des mariages insensés, le Pape et Brigitte Bardot, elle plaisantait à son tour : « Monsieur de Bergerac, voulez-vous bien vous taire », il se fatiguait, il s'ennuyait, ils se taisaient, alors polie elle l'interrogeait : « Et comment vas-tu ? », elle n'attendait aucune réponse, il disait : « Je vieillis », il se levait. « Tu pars déjà ? — Pardonnez-moi, Maman. J'ai un travail fou. Je reviendrai très vite. » Très vite, c'était le dimanche suivant, jamais plus tôt, elle le savait, il le savait, ils en souffraient tous les deux, mais elle ne pouvait rien demander, il ne pouvait rien offrir, ils étaient enfermés dans leurs attitudes, dans leurs mots. Il l'embrassait quatre fois, elle murmurait : « mon fils »,

23

elle répétait : « mon fils », plusieurs fois, jusqu'à ce qu'il fût parti, encore après.

Derrière la porte, il essayait de retrouver une autre image d'elle, sa mère à vingt ans, à quarante ans, sa mère courant, riant, son visage de femme, ses gestes, elle faisait beaucoup de gestes, elle n'arrêtait pas de bouger. Il harcèle sa mémoire, il veut contraindre sa mémoire à lui montrer sa vraie mère, il sort de l'école, il va vers elle, il tend les bras, il ne voit rien, rien que ce corps étalé, ce visage flottant, ces mains tordues, noires de taches, il n'a jamais qu'une image des gens, la dernière venue, cette dernière image elle efface toutes les autres, ou elle se met devant.

IV

La journée du mercredi il la passa dans son bureau, une immense pièce qui donnait sur un jardin, peuplée d'une foule de livres, des livres sur les murs, des livres par terre, en piles, ou jetés au hasard, des livres ouverts, posés n'importe où, ou emboîtés les uns dans les autres pour retenir les pages. Au milieu de ce fatras un petit secrétaire, trois fauteuils couverts de velours bleu, des meubles fins, presque fluets, qu'il tenait de son père, et partout des lampes, installées entre les livres ou au sommet des piles, des lampes qui venaient de trois siècles et de beaucoup de pays, Claude les collectionnait par habitude plus que par goût, elles communiquaient entre elles par des fils compliqués, des prises multiples, elles s'enlaçaient comme des serpents. Il aimait cette pièce, le seul lieu où il se sentît vraiment bien, un univers replié, chaleureux, chaque objet y avait sa place et son rôle, seuls les livres avaient le droit de se promener, chaque lampe évoquait quelque chose, un voyage, un anniversaire, un coup de cafard. Souvent il retournait à son bureau après dîner, il enjambait les piles de livres, comme des ruines, pour allumer toutes les lampes, l'une après l'autre, on eût dit une église peuplée de colonnes et de cierges, il mettait un disque, du Bach, du Mozart, toujours les mêmes disques, quatre ou cinq indéfiniment répétés, il commençait à lire, ou à rêver, personne ne soupçonnait sa présence, rien qui pût le déranger, ni l'anxiété du téléphone ni les préparatifs d'un rendez-vous, rien que son silence, et la familiarité des objets affectueux, il échappait aux autres, aux rythmes qui découpaient sa vie, il respirait.

Tout le jour il travailla, vaguement. Il tint quatre ou cinq rendez-vous. Cela faisait quelques années qu'il avait cessé d'écouter ses interlocuteurs, il faisait semblant, à vrai dire il entendait un peu, assez pour ne pas manquer l'essentiel, il était comme un vieux juge qui dort en ne dormant pas, les gens lui paraissaient tous bavards, ce qu'ils avaient à dire il le devinait aussitôt, le reste, cette sauce qui n'en finissait pas de couler, elle ne servait qu'à leur plaisir, ou à soigner leur infirmité, les livres aussi étaient bavards, la musique était bavarde, il avait soif de silence, lui-même il parlait de moins en moins, les mots s'arrêtaient en chemin, il avait d'abord cru que les mots lui manquaient, qu'ils mouraient sur sa bouche, maintenant il se demandait si sa tête ne se creusait pas, il se trouvait vide, muet de n'avoir rien à dire.

Son travail ne l'intéressait plus. La maison d'édition qu'il était censé diriger marchait seule, et marchait bien. On attribuait parfois ce succès à sa personnalité mystérieuse, à la fois douce et cynique, parfaitement adaptée au monde qu'il fréquentait. Il attirait les auteurs, il les flattait, chacun selon sa mesure, il vantait leur génie si cela devenait nécessaire, il les méprisait tous d'écrire, d'écrire pour de l'argent, de s'attacher tant à leurs livres misérables. Il n'aurait consenti le droit d'écrire qu'à trois ou quatre écrivains par siècle, les autres n'étaient que des Trissotin, mais il savait exactement comment les traiter, par des lettres enflammées, des sourires complices, des dîners où tout brillait, l'argenterie, les chandelles, les regards, les mots, il jouait avec les auteurs comme avec les femmes, il y mettait un art consommé, il faisait sa récolte dans le champ de leur vanité. Même sa réputation d'indifférence il savait s'en servir. Il la déchirait soudain, il s'inventait une passion, pour un auteur, pour un livre, un vrai coup de foudre, il disait avoir découvert un génie, il y croyait le temps d'un bon tirage.

Non, il n'aimait plus son métier. Son dernier plaisir était de dicter ou d'écrire des lettres. Il les corrigeait plusieurs fois, jusqu'à ce qu'elles lui parussent parfaites. Il en rédigeait beaucoup à la main, ses correspondants appréciaient cet hommage décadent, lui il ciselait minutieusement ces chefs-d'œuvre brefs, insignifiants, aussitôt perdus. Il mettait dans ses lettres des post-scriptum, parfois des notes en marge, il bougeait le sens des mots, il les chargeait d'ambiguïtés, quand il se relisait il vérifiait qu'il eut préservé de larges espaces d'équivoque, sinon il recommençait. C'est tout ce qui lui restait de l'écriture. Claude Hartmann s'était cru, comme les autres, des dons rares, les deux tomes de son *Histoire de la mort en Occident*, écrits avant qu'il eût trente ans, étaient passés inaperçus, « trop savants pour les snobs », lui avait dit son père, « et trop snobs pour les savants ». Son père lui avait dit aussi, avec un grand sourire d'amour : « Tu es fait pour écrire... tu recommenceras. » Mais le professeur Hartmann pressentait que son fils ne recommencerait pas, que cette blessure d'amour-propre Claude ne pourrait pas la guérir. L'indifférence qui avait accueilli ses ouvrages lui avait signifié qu'il était sans génie, il le savait, mais il n'avait pas supporté que des imbéciles le lui disent. A trente ans Claude avait décidé de ne plus publier une ligne. L'édition lui avait offert sa revanche. Il pouvait y régler de vieux comptes. Quand les livres marchaient, ses affaires marchaient. Mais quand les livres ne se vendaient pas, il savourait leur défaite. L'échec de ses auteurs le mettait en joie. Chaque jour le ridicule des écrivains le rassurait. Il était fier d'y avoir échappé.

V

Vers six heures du soir, il quitta son bureau pour aller chez sa sœur. Il faisait nuit et froid. Claude devait longer les quais, une bonne demi-heure. Il aimait marcher dans Paris. Il n'avait pas appris à conduire, il circulait à pied, ou en taxi, jamais plus en autobus. « Ici le commissariat de police du Ve arrondissement. Vous êtes bien monsieur Claude Hartmann ? J'ai le regret de vous prévenir que le professeur Hartmann a été renversé par un autobus... Il est à l'Hôtel-Dieu. » On lui montre son père étendu sur un lit, caché sous un drap que l'infirmière soulève en détournant les yeux, la tête est écrasée, le visage détruit, Claude ne reconnaît que le front, et les cheveux blancs en brosse. « Il n'a pas souffert », commente l'infirmière. Vite elle remet le drap en place. « Venez, c'est inutile. » Elle l'entraîne. Jamais plus le sourire de son père, son éternel sourire, le professeur Hartmann partait faire son cours en souriant, dans la rue il souriait à tout le monde. Jamais plus le regard du père, son regard tendre, un peu inquiet, toujours à chercher le regard des autres, par soif de connaître, soif d'aimer. Son père savait tout, il n'avait

29

jamais cessé d'apprendre, apprendre était plus que son métier, sa raison d'être, apprendre et enseigner. Il travaillait tout le jour, et une bonne part de la nuit, il ne voulait aucune récompense, rien que le travail bien fait, les étudiants qui écoutent, qui posent des questions, le merveilleux apprentissage du savoir. Il avait écrit plein de préfaces, pour des livres scolaires, ou dans la Pléiade, jamais ailleurs, il était professeur, il n'était pas écrivain, l'argent il en avait toujours trop, deux costumes en vingt ans, jamais un voyage. Pour divorcer il avait attendu que les enfants eussent achevé leurs études, surtout pas de secousses dans le temps des études. Il avait fait venir Thérèse et Claude, l'un après l'autre, dans sa chambre, il leur avait dit que leur mère et lui devaient se séparer, il le leur avait annoncé le plus légèrement qu'il pût : « Je n'ai pas su la distraire... je n'ai pas été suffisamment attentif », pas un mot de reproche, et pour rire : « votre maman a gâché des années de sa vie pour un homme qui n'était pas son genre... » Elle l'avait martyrisé, depuis le premier jour, avec ses caprices, ses liaisons, surtout ses humeurs, elle s'enfermait des heures dans un silence insupportable, pour montrer comme elle souffrait, ou bien elle le poursuivait de ses reproches, le travail, toujours le travail, pas d'évasions, pas de projets, rien de joyeux, rien de frivole. Il ne répondait pas, il souriait, il faisait semblant de sourire. Claude était sûr d'avoir vu son père pleurer, plusieurs fois, Thérèse disait que non, elle disait que l'épuisement, les longues nuits passées à lire suffisaient à faire briller les yeux. La nuit le professeur travaillait comme un fou, il ne se couchait pas avant que sa femme fût rentrée, il attendait jusqu'au petit matin, il écoutait le sommeil des enfants, deux ou trois fois il allait les embrasser, il les regardait dormir, à sept heures il était levé, toujours le sourire, le regard pathétique, fatigué à la longue.

Orphelin à dix ans, le père de Claude avait été mis en pension au lycée. Le travail avait aussitôt rempli sa vie. Le professeur Hartmann ne parlait jamais de sa mère, partie quand il avait cinq ans, morte deux ans plus tard, enfouie dans le silence. Son père, venu de Strasbourg, avait exercé comme médecin de quartier à Paris, il n'avait pas quarante ans quand il avait été tué en 1918, l'avant-veille de l'armistice. Tous les ans, au 11 Novembre, le professeur célébrait ce souvenir à la Sorbonne, dans l'amphithéâtre où il faisait cours. Il demandait aux étudiants de se lever, il leur parlait de la France, des Droits de l'Homme, des millions de morts, des morts absurdes du dernier jour. Il priait les étudiants de respecter une minute de silence. Certains venaient pour voir, d'autres pour rire, le professeur était tout petit, voûté, fragile, la voix trop haut perchée, mais son cœur, son intelligence transpiraient de partout, il distribuait la lumière, on l'écoutait, on aurait entendu une mouche.

Les dernières années le professeur Hartmann semblait presque heureux, enfin seul, dans son deux-pièces, porte d'Italie. Il avait pris sa retraite avec curiosité, bien sûr il regrettait ses cours, il en donnait encore dans une école privée, c'était autre chose, malgré tout la parole, la ferveur, et des visages d'adolescents. Claude passait le voir deux ou trois fois par semaine, Thérèse presque tous les jours. Le dimanche ils dînaient tous les trois, ils poursuivaient tard dans la nuit d'ardentes discussions, le plus souvent sur la pensée grecque, Thérèse faisait la cuisine, elle écoutait par la porte ouverte, c'était beau, et bon, son père, son frère, Aristote venait généralement au café, vieux sujet de désaccord. Tandis qu'elle changeait les assiettes, elle voyait le regard de son père sur elle, son père continuait de veiller sur elle, qu'elle ne se fatigue pas, qu'aucun souci ne la travaille, Claude aussi la regardait, il la regardait bouger et vivre, ils n'en finissaient pas tous les trois d'être bien ensemble, ils ne pensaient plus au sommeil.

Cette tombe béante, Claude et Thérèse les yeux fixés sur le trou, ils se tiennent par la main, ils ne pleurent pas, ils ont décidé de ne pas pleurer, ils sont au-delà du malheur, leur père au fond du trou, la tête broyée, le menton arraché, Claude ne voit plus que le visage mutilé de son père, il tient très fort la main de Thérèse, ils savent qu'une part d'eux est morte, la meilleure part, le fond d'eux, leur cœur d'enfant, écrasé, ils s'éloignent de la tombe, on dirait des automates. C'était il y a quatre ans, au début du printemps. La première année Claude s'était rendu sur la tombe tous les jours, puis il y était venu de moins en moins, maintenant il n'avait plus besoin de la tombe. Thérèse venait tous les samedis, elle n'en avait jamais manqué un, sauf au mois d'août.

Ils étaient assis, l'un en face de l'autre, chacun sur un canapé, assis au bord, Thérèse avait posé le plateau du thé sur la table qui les séparait, un plateau organisé pour plaire à Claude, avec des napperons de dentelle, de vraies tasses de Chine, quelques objets d'argent venus du père, très vite elle avait dit, dès qu'elle avait vu son frère :

— Maman a un cancer du foie. C'est le malheur qui recommence.

Claude avait corrigé :

— ... qui continue.

Ils s'étaient tus. Maintenant ils regardaient le plateau fixement, rien à se dire. Sa mère lui avait semblé éternelle, éternellement vissée à son fauteuil, sans risque d'en sortir, tous les problèmes il les avait laissés à Thérèse, les médecins, le service, les tracas quotidiens, Thérèse lui avait caché l'inquiétude, le plus longtemps possible, maintenant il fallait bien partager, de nouveau la main dans la main devant la tombe.

Claude lui avait aussitôt demandé :

— Combien de temps ?

Thérèse avait répondu :

— Deux mois, trois mois, peut-être moins.

Le médecin avait dit : « Elle peut vivre quinze jours ou trois mois », il avait expliqué que leur mère était ravagée par le cancer, qu'elle ne tenait plus que par un fil. Depuis deux ans elle disait qu'elle souffrait du ventre, qu'elle avait très mal, mais elle souffrait toujours, de partout, toujours elle s'était crue malade, pour attirer ou détourner l'attention, un rhume, un cancer, on ne pouvait deviner.

— Maman est au courant ?

— Je ne sais pas.

Le médecin avait dit : « Je lui ai parlé, elle a très bien compris », mais le médecin voyait les choses trop simplement, il ne comprenait pas leur mère. Leur mère n'était jamais au courant de rien, ou bien elle savait tout, elle s'arrangeait pour n'être jamais en face du malheur. Quand elle avait appris la mort de son mari, elle avait fait ce seul commentaire : « Je le croyais mort depuis longtemps. » A la sortie de la clinique, Thérèse lui avait demandé : « Vous vous sentez malade ? » Elle avait répondu : « Je ne suis pas malade. ... je suis fatiguée. » Thérèse avait insisté : « pas malade ? — moins malade que toi, ma pauvre Thérèse. » Elle était revenue à son fauteuil. Maintenant elle se plaignait des jambes, du dos, des oreilles, du ventre plus du tout.

Claude n'osait le dire à Thérèse, il se sentait plus fâché que triste. Toujours sa mère intervenait à contretemps, juste avant Venise, bien sûr ! Retarder son voyage, Claude ne le pouvait, Venise et Rome se mêleraient, et leur mère serait encore malade. Thérèse comprenait. Claude ne supportait pas que sa mère le dérangeât, que quiconque le dérangeât.

Thérèse se lève. Elle va chercher, sur un guéridon, deux photos encadrées. Sur l'une, ils sont tous les quatre, eux très petits, aux pieds des parents, les parents tout jeunes qui se tiennent par l'épaule, elle plus grande que lui, c'est à Morgat. Sur l'autre photo Claude et sa mère, elle est en maillot de bain assise sur le sable, les jambes écartées, entre ses jambes le petit garçon, des deux mains il s'appuie sur les pieds de sa mère. Elle lui tient la tête. Thérèse commente :

— Tu sais que Maman t'adore... !

Il le sait. Mais ce que dit sa sœur complique encore la situation. Thérèse est malheureuse. Elle est ballottée entre sa mère et lui. Elle ne veut pas que Claude soit jamais contrarié. Elle dit :

— Ne te fais pas de souci... compte sur moi... je m'occuperai de tout... pars pour Venise !

— Tu crois que je peux y aller ?

Il est presque suppliant. Thérèse est déçue. Elle sait que Venise n'est rien pour Claude, rien qu'une habitude, mais il vit maintenant cloué à ses habitudes. Il n'ose plus rien contre elles. Elle a peur pour lui. Elle a peur pour sa mère.

— Si tu l'emmenais à Venise ? Elle n'y est jamais allée. Son dernier voyage...

Ce sont les mots qu'elle a prononcés, elle se demande encore pourquoi. Pour le provoquer ? Pour essayer de rire ? Thérèse a une mémoire implacable. Elle est sûre d'avoir dit cela. Il n'a rien répondu. Il l'a embrassée. Il est sorti très vite. Elle ne l'a jamais revu.

VI

Le jour qui suivit et encore le vendredi matin, jusqu'au départ pour Venise, Thérèse s'est acharnée à les reconstituer, elle y a travaillé des mois, accrochée à la moindre miette de vérité, elle a interrogé tous ceux qui pouvaient avoir vu Claude durant ces trente-six heures, qui pouvaient savoir quelque chose, elle a suivi les pistes les plus folles. Au printemps j'ai compris qu'elle y perdrait son temps et sa santé. Je lui répétais tous les jours qu'il fallait renoncer : « maintenant nous n'apprendrons plus rien. » Elle ne m'écoutait pas. Elle continuait à chercher, comme un clochard au fond d'une poubelle vide.

Claude avait passé le jeudi matin au bureau. Il avait reçu plusieurs auteurs. Il s'était montré courtois, distant comme à l'ordinaire. Sa secrétaire l'avait vu ranger des papiers, rien d'anormal, il ne laissait traîner aucun papier quand il partait en voyage, chaque fois il semblait partir pour l'éternité. Il avait bavardé de rien, des affaires courantes, avec le directeur adjoint, il avait l'air absent, mais il avait toujours l'air absent, il avait dit : « Je serai au bureau le 12 », cela le directeur adjoint l'avait assuré à

36

Thérèse. A sa secrétaire Claude avait dit de même : « Je serai là le 12. » Il n'avait pas besoin de le dire, chaque année, le 12 novembre, il rentrait de Venise.

.C'est vers midi qu'il s'était rendu chez sa mère. La concierge l'avait vu passer, il l'avait saluée, elle avait été surprise, car M. Hartmann ne venait jamais le jeudi, ni le matin. La femme de ménage ne l'avait pas aperçu, elle partait vers onze heures trente, elle revenait vers quatorze heures, M. Hartmann était donc passé durant son absence, mais elle n'avait pas observé la moindre trace. A quatorze heures elle avait retrouvé Madame dans son fauteuil, la tête appuyée sur l'épaule comme toujours, Madame n'avait pas soufflé mot d'une quelconque visite. Madame avait sommeillé jusqu'à cinq heures, à sept heures la femme de ménage avait pris congé comme chaque jour, après avoir fait le dîner et préparé le lit, Madame lui avait dit : « au revoir », « au revoir, et soyez sage », elle faisait toujours la même plaisanterie, elle semblait tout à fait normale, non, pas la moindre émotion, rien de changé.

Thérèse n'a pu découvrir où Claude avait déjeuné. Souvent il retournait chez lui, rue Servandoni, il s'asseyait dans sa cuisine, il ouvrait une boîte de pâté de grive et croquait un chocolat, il buvait une demi-bouteille de champagne. Parfois il ne déjeunait pas. Il avait laissé son appartement comme il le laissait toujours, la chambre et le bureau impeccablement rangés, aucun indice. Pas un verre qui traînât. Pas un cendrier sale. Le frigidaire était vide. Les ordures avaient été jetées.

Hélène avait reçu la lettre de Claude après déjeuner,

vers trois heures. Il l'avait fait porter par un coursier de la maison d'édition. Sans doute l'avait-il rédigée le matin, avant d'aller au bureau, il écrivait à ses amies au petit jour, assis sur le bord du lit, appuyé sur la table de nuit. Il disait à Hélène qu'un voyage d'affaires, impérieux, imprévisible, l'obligeait à partir pour New York, qu'il en était désespéré, il lui demandait pardon, il la suppliait de se libérer plus tard, à la fin du mois, ou au début de décembre, il concluait : « ton vieil ami infiniment triste. » Elle ne l'avait cru qu'à moitié. Elle eût préféré un coup de fil, mais les mauvaises nouvelles Claude ne les annonçait jamais que par écrit, la lettre était parsemée de points de suspension, il les multipliait toujours quand il se sentait coupable. Elle avait souffert qu'il fût triste, même un peu, triste elle l'avait été plus encore, des semaines elle s'était préparée, chaque robe, chaque ride, il fallait recommencer.

L'après-midi on avait revu Claude Hartmann au bureau vers quatre heures. A cinq heures il était parti. Il n'avait parlé à quiconque, il avait juste murmuré : « au revoir » en croisant sa secrétaire. Elle avait répondu : « Je vous souhaite un bon voyage », par politesse, elle savait bien qu'il détestait les voyages. Il l'avait regardée, peut-être plus longuement qu'à l'ordinaire. Il avait souri.

Aucun moyen de savoir ce qu'il avait fait le soir. Vers vingt heures il avait téléphoné à Venise, à l'hôtel Gritti, il avait demandé deux chambres sur le Grand Canal, seul était disponible un appartement, deux chambres séparées par un grand salon, un appartement magnifique, il l'avait réservé sans demander le prix, sans préciser la durée du séjour, l'employé du Gritti en avait gardé le souvenir, ce n'était pas ordinaire. M. Hartmann avait juste précisé : « Nous serons là demain pour le déjeuner. » A peu près à la même heure il avait décommandé la chambre qu'il avait retenue quinze jours plus tôt dans son hôtel habituel, il avait expliqué qu'il était contraint d'aller à New York, qu'il s'excusait vivement, bien entendu il paierait la chambre si personne ne la prenait, il était désolé, il reviendrait très prochainement. D'où appelait-il ? De chez lui ? D'un restaurant ? Thérèse et moi nous avons fait le tour de ses amis. Personne ne l'a vu ce soir-là. Peut-être était-il retourné chez sa mère avant qu'elle ne s'endormît, pas le moindre signe de son passage, sa mère semblait avoir dîné seule, elle dînait toujours à huit heures, elle se couchait à neuf heures, depuis vingt ans personne n'avait pu retarder son sommeil.

Le vendredi matin vers sept heures, il avait réveillé Pierre au téléphone. De ses rares amis Pierre était le plus proche, ou le moins lointain. Ils s'étaient connus rue d'Ulm, et depuis ils n'avaient jamais cessé de se voir, Pierre avait vécu quelques mois avec Thérèse, un dimanche elle l'avait mis dehors, gentiment, dix ans avaient passé, mais il n'avait pas cessé d'être un peu amoureux. Pierre adorait Claude, Claude l'aimait bien. Quand ils dînaient ensemble, Pierre parlait sans jamais s'arrêter, comme une machine. Il savait que Claude n'écoutait guère, n'importe, Pierre ne songeait qu'à distraire son ami. Parfois Claude le remerciait d'un regard très doux, d'un sourire. Voilà longtemps qu'ils n'avaient plus rien à se dire, mais ils étaient bien ensemble.

— Pierre, pardonne-moi de t'appeler si tôt. Je pars tout à l'heure en voyage. Pierre, s'il m'arrive quelque chose, prends bien soin de Thérèse.

Pierre était bourré de somnifères, il se souvenait avoir été long à réagir, il avait interrogé son ami :

— Où vas-tu ? Pourquoi pars-tu ?

Claude avait répondu :

— Je vais à New York, pour mes affaires.

Il avait répété :

— Prends bien soin de Thérèse.

Il avait encore dit :

— Je t'embrasse.

Il avait brusquement raccroché. Pierre se souvenait exactement des mots de Claude. « Je pars tout à l'heure en voyage... s'il m'arrive quelque chose prends bien soin de Thérèse... » D'interminables soirées nous l'avons questionné, Thérèse et moi. Je ne croyais pas possible que Claude eût dit cela. Pierre répétait obstinément : « Il l'a dit », et pour le démontrer, il accompagnait Thérèse dans toutes ses démarches, il l'entourait de soins jaloux. Thérèse m'assurait que je devais le croire ; jamais, disait-elle, Pierre n'aurait déformé un mot de son ami. Moi je doutais. Je doute encore. Ces mots-là ressemblaient trop à ceux qu'il rêvait d'entendre.

C'est à neuf heures trente, ce vendredi, que Claude appela Thérèse, de l'aéroport.

— Ma Thérèse, je pars pour Venise...

— Tu as raison, mon Claude, ne te fais pas de souci.. je m'occupe de tout.

— Je pars avec Maman... j'emmène Maman...

Sa voix n'est ni triste ni réjouie, mais appliquée, presque contrefaite. Thérèse est debout. Elle ne peut rien dire. Elle ne trouve rien à dire. Elle est clouée au sol, comme dans un rêve. Il répète :

— Je pars avec Maman.

Sa voix s'est durcie. Il ajoute :

— C'est toi qui me l'as conseillé...

Elle crie :

— Claude...

Elle hurle :

— Claude, mon Claude...

Elle est folle d'inquiétude, folle de joie, elle ne comprend pas, elle veut gagner du temps, elle dit :

— Claude, réfléchissons, Claude, attendons un peu...

Elle entend :

— Ma Thérèse, il faut...

Et puis rien, un bruit de machine, un bruit insupportable, qu'elle entend encore.

VII

Chaque départ lui était douloureux. L'angoisse des préparatifs le prenait près d'un jour à l'avance, elle montait d'heure en heure. Dès la veille au soir il ne pouvait dîner, il dormait mal, il organisait plusieurs modes de réveil, sa montre, une pendulette, le téléphone, rien ne servait à rien car il était debout dès cinq heures, il faisait et refaisait le calcul du temps nécessaire pour aller à la gare, à l'aéroport, il intégrait les variantes les plus pessimistes, l'encombrement, la crevaison, la grève du personnel, il appelait toujours deux taxis, il se jetait dans le premier venu, très vite, pour ne pas rencontrer le second. A l'aéroport son cœur battait à rompre, trop de panneaux, de gens pressés qui tournaient en tous sens, il supportait mal les files d'attente, il aurait voulu gagner des places pour échapper au malaise mais il n'arrêtait pas d'en perdre par maladresse, ou d'en céder pour se faire bien voir. Chaque fois il s'en voulait de partir. Il n'attendait rien des voyages, ni découverte, ni plaisir, il ne partait pas pour lui, seulement pour elle qui adorait voyager, il lui en voulait de cette passion trop ordinaire, il ne lui adressait pas la parole dans le taxi, ni à l'aéroport, bien sûr il veillait à tout, il portait les valises, il faisait la queue, il achetait les journaux, il passait même au free-shop, rien de plus dérisoire que ces économies de bouts de chandelle, et ces sacs de papier blanc, mais elle aimait ça, il surmontait tous les obstacles sans desserrer les dents, avec un sourire de courtoisie glacée. Elle tâchait de combler le vide, n'arrêtant pas de parler sans laisser de temps au silence, ou bien elle se plongeait dans un journal, feignant de lire, observant son compagnon pour guetter le moindre signe d'une meilleure humeur, ou bien encore elle se coiffait et se recoiffait, il n'y avait aucun moyen de ne pas agacer Claude, il rêvait d'être ailleurs, assis à la terrasse d'un café, ou chez lui, couché sur son lit avec un livre, il se savait incapable de reculer, de jeter les billets en l'air, de s'enfuir en courant, non il continuait, il accomplissait, avec une anxiété besogneuse, les formalités du départ. Tout nourrissait son anxiété, un imprévu, une bousculade, la proximité d'un groupe, heureusement ça s'apaisait en salle d'attente, là plus rien à faire qu'atten-dre. Alors il devenait un voyageur, il souriait à sa voyageuse, quand même il devait vérifier, toutes les dix minutes, qu'il n'avait pas égaré les cartes d'embarque-ment, il se jugeait maintenant lamentable, pourquoi cet affolement, les autres, tous les autres autour de lui, ils avaient réussi la course d'obstacles sans effort, sans angoisse, ils semblaient gais et bavards, lui seul éprouvait tant d'émotions, toujours il avait trop gaspillé d'émotions sur rien, sur les détails de la vie, il y avait perdu ses forces. Il se tournait enfin vers elle, il lui disait, le plus

gentiment possible : « Je suis content de partir avec toi. »
Elle répondait : « moi aussi », parfois ils éclataient de
rire, il s'excusait : « ... je déteste les départs. » Ils se
prenaient par la main. Ils étaient partis.

Ce n'était pas seulement l'angoisse des préparatifs.
C'était quelque chose d'autre, qui toujours l'avait meur-
tri, au moindre départ, déjà quand il était gosse et qu'on
le conduisait, sac au dos, au train des vacances. Plus tard
il y eut, au petit matin, la voiture bourrée du 1er août, puis
les aéroports, pire que tout, hérissés de complications.
C'était une plaie qui s'ouvrait dès la veille, une sorte de
déchirure soudaine, puis d'heure en heure la douleur
montait du fond de la poitrine, bientôt sa plaie l'empê-
chait de respirer, il croyait sentir le sang entre ses
poumons, le feu brûlait sa tête. Un jour à la gare, il avait
douze ans, il s'était trouvé mal, cette fois on avait dû le
prendre au sérieux, mais personne ne pouvait comprend-
dre, chaque départ arrachait sa cicatrice, il avait dû être
blessé dès son premier voyage d'enfant, d'année en année
sa douleur empirait, ou bien il cicatrisait de plus en plus
mal, un jour, un jour proche, il déciderait de ne plus
voyager.

Fini le départ, les gestes et les mots du départ, tout
redevenait normal. Son cœur reprenait son rythme, plus
de brûlure. Souvent montait même une sorte d'euphorie,
comme si son corps se réjouissait, passé l'épreuve.
L'avion surtout lui apportait des joies à profusion. Il
voyageait en première, non pour être mieux assis, ou
mieux traité, il regrettait même de cotoyer des gens
impossibles, des messieurs gonflés de vanités, ou d'ar-

gent, des dames Hermes et Vuitton, mais il aimait cette succession de petites fêtes, qui lui rappelaient ses dîners d'enfant malade, dans son lit, quand sa mère et Thérèse le comblaient d'attentions. Il aimait la vigilance des hôtesses, les nappes retirées, remises, les immenses menus annonçant, en mots majestueux, des plats minuscules, les verres, les sourires, le champagne servi à tout instant, des morceaux de plaisir sans complication, dans un univers clos, chaleureux, que rien ne pouvait déranger sauf la mort, mais la mort il n'y croyait pas, oui il savourait cet excès de gestes aimables, de prévenances inutiles, et rien, rien que la vie repliée sur l'essentiel, le soleil, le repas, la lecture, le bruit régulier de l'avion propice au rêve, et parfois, venue du hublot, la chaleur du soleil proche. Il appréciait aussi le confort de s'abandonner. Lui qui ne cessait de s'occuper des autres, de porter leurs soucis, voici qu'il se confiait à des étrangers, à des spécialistes. Il avait toujours eu le respect des techniciens, il s'en remettait à eux, plus rien ne dépendait de lui, ni le temps, ni la route, ni la vie elle-même, ils faisaient de lui ce qu'ils voulaient, avec droit de vie et de mort, mais ils semblaient compétents, et bienveillants. Cela ressemblait au bonheur.

A côté de lui sa mère dormait. En plein ciel. En plein soleil. Il oubliait tout le mal qu'il s'était donné pour faire la valise, pour habiller sa mère, pour la hisser dans le taxi, pour traverser l'aéroport sans qu'elle fût bousculée. Elle répétait : « Claude, tu es fou. » Elle l'avait peut-être répété cent fois depuis le premier moment, quand il lui avait dit : « demain je vous emmène à Venise. » Elle avait bien raison, il était fou, elle n'avait pas quitté son appartement depuis deux ans, elle portait toujours les mêmes vêtements, des chemises de nuit et des robes de chambre, il avait fouillé tous les meubles pour trouver un grand manteau noir, afin qu'elle fût habillée, et qu'elle ne prît pas froid. Elle n'avait fait aucune objection, elle l'avait même aidé à remplir la trousse de pharmacie et la valise, des bouts de gestes dont il ne la croyait plus capable. Tout ce qu'elle avait à dire, peut-être rien, elle le mettait derrière ces mots : « Claude, tu es fou », elle semblait oublier qu'elle était fatiguée, qu'elle avait mal. A l'aéroport elle avait marché à pas très lents, à très petits pas, mais elle avait marché. Dans l'avion ils s'étaient mis à trois pour l'installer, elle avait pris l'hôtesse à témoin : « Madame, mon fils est fou », elle avait bu du champagne, toute sa vie elle en avait bu, toujours elle avait cherché des prétextes pour ouvrir une bouteille, elle adorait le champagne qui tenait son malheur à distance. Elle avait commencé à sommeiller, une ou deux fois elle avait gémi, elle avait dit : « J'ai mal aux pieds », elle n'avait pas de chaussures, mais de gros chaussons noirs et fourrés, avec des pompons de velours, alors Claude s'était mis presque à genoux pour les lui retirer. Enfin elle s'était endormie, elle dormait depuis près d'une heure, la tête écrasée sur la poitrine comme elle dormait toujours, elle respirait trop fort, et trop vite, le soleil venait sur son front, Claude eut peur, il se pencha vers elle pour fermer le rideau du hublot, il eut de la peine à ne pas toucher le ventre, l'énorme ventre, ni les seins étalés sur le ventre comme deux coulées de lave. Maintenant il déjeunait tranquillement, heureusement, elle dormait à côté de lui, il prenait et reprenait du champagne, il s'étonnait lui-même, tantôt il restait des mois à hésiter, incapable de rien entreprendre, sa réflexion le paralysait, tantôt il décidait, d'un coup sec, n'importe quoi, alors plus rien ne pouvait l'arrêter. « ... Emmène-la à Venise... elle n'y est jamais allée... » C'est fait, ma Thérèse, nous sommes dans l'avion de Venise. Elle a pris trois verres de champagne. Elle dort à côté de moi.

Lentement Claude délia les mains de sa mère, qu'elle tenait jointes au sommet de son ventre. Il garda la main droite, il la trouva chaude et moite. Il se dit que sa mère devait avoir de la fièvre. Il voulut lui prendre le pouls, il le chercha vainement, longtemps il promena son pouce sur les grosses veines tourmentées. Il renonça. Il pensa à Hélène, la main d'Hélène, il commençait par la frôler, puis il immobilisait les doigts d'Hélène entre les siens, une douce pression qu'il accentuait insensiblement, soudain il les libérait, à nouveau il les retenait, peu à peu leurs doigts se mêlaient franchement, leurs paumes roulaient l'une sur l'autre, la fièvre venait à leurs poignets, leurs mains commençaient de s'aimer, et leurs bras, leurs pieds se cherchaient, elle soupirait, il n'aimait pas ce soupir sur commande, celui d'une poupée mécanique, il ordonnait : « tais-toi », mais il accélérait le jeu des mains et des pieds, soudain elle murmurait : « arrête », elle amenait sa tête sur l'épaule de Claude en retirant la main, elle profitait de leur émotion pour lui voler un peu de tendresse.

Il remit la main de sa mère là où il l'avait prise. Il se

reprocha d'avoir pensé à Hélène, mais il se le reprocha sans conviction, car il était coutumier de cette imposture, il tenait une main, il pensait à une autre. Le champagne lui montait à la tête. Il se dit qu'il était un saint ou un fou, en tout cas le meilleur des fils. Claude Hartmann emmenait sa mère agonisante dans un palace de Venise... Quelle leçon !

VIII

Le bateau de l'hôtel les attendait à l'aéroport. Claude eut la pire peine à y descendre sa mère, elle commença par refuser, il fallut la persuader, elle poussait de petits gémissements, des plaintes, des gloussements, dans la cabine il s'assit auprès d'elle, pour la soutenir, pour lui faire découvrir Venise, sans que la brise la dérangeât. Un doux soleil de midi les caressait, le bateau avançait très lentement, comme Claude en avait donné l'ordre, pas de vagues, pas de secousses, à l'arrière le drapeau flottait à peine, les mouettes tournaient au-dessus d'eux, mais elles semblaient indifférentes, comme sa mère, sa mère ne bougeait plus, elle ne disait mot, Claude ne pouvait deviner ce qu'elle voyait dans la brume de ses yeux. Il commentait le voyage avec application, elle ne parla qu'une fois, presque un murmure, Claude avait montré du doigt, sur leur gauche, l'île bordée d'un mur de briques que surmontaient les cyprès en ligne, dressés comme des vigiles, et les croix sur les maisons des morts, il avait dit : « regardez, Maman, c'est le cimetière », elle avait répété : « ... c'est le cimetière », un peu plus tard

elle avait ajouté : « on doit y être bien », rien d'autre, pas
un mot quand s'approcha Venise, pas un mot sur le petit
canal, pourtant Claude ne cessa d'expliquer l'itinéraire,
chaque église, chaque maison, les murs délabrés, les
escaliers qui s'enfonçaient dans l'eau, les portes ouvertes
sur le vide, pas un mot quand les ponts passèrent sur leurs
têtes, pas un mot quand le bateau surgit sur le Grand
Canal, dans la soudaine agitation des vaporettos et des
gondoles, les cris des marins, les vagues. Il fit ralentir le
bateau à l'approche du palais des Doges, il parlait à
l'oreille de sa mère, il criait presque, le bras tendu vers les
façades en dentelle, il récitait l'histoire de Venise, elle
semblait ne pas entendre.

A l'hôtel ils la montèrent dans sa chambre, une
chambre immense, avec trois fenêtres sur le Grand Canal,
ils la placèrent dans un grand fauteuil de velours mauve,
ils poussèrent le tout devant la fenêtre ouverte, on voyait
le canal, les tremblements du canal qui léchaient le ciel
bleu, les palais déserts, un grand palais prétentieux, un
autre tout petit, blotti contre son voisin, et la Salute,
grosse et solennelle, on entendait les cris des mouettes, on
devinait la mer, ils restèrent immobiles tous les deux, lui
debout, elle prostrée, il guettait un signe, il attendait un
mot : « merci, Claude », ou encore : « je suis contente
d'être là », ou simplement : « c'est beau », il avait le cœur
épuisé, la tête vide, il n'en pouvait plus de se donner du
mal, tant de gestes, tant d'efforts, cet infatigable discours
depuis l'avion, tout un livre pour rien, maintenant ce
silence têtu. Claude se souvenait, sa mère avait toujours
été telle, un fantastique rabat-joie, toujours elle décou-

vrait le détail qui clochait, dans l'opéra la fausse note du plus grand chanteur, dans un bouquet de fleurs celle qui se fanait, aux plus belles femmes elle trouvait un défaut du corps, mieux qu'un défaut un ridicule, si elle ne trouvait rien elle s'en prenait aux mains, des mains épaisses, des mains vulgaires, pas de main qui trouvât grâce, elle avait l'art du mot qui faisait mal, jamais elle n'avait reçu un cadeau sans le changer. Ce n'était pas sa faute, plutôt sa nature, elle apercevait le moindre morceau de bonheur, elle y plantait son dard, non par méchanceté, plutôt par caprice d'enfant surdoué, surdoué pour détruire, après quoi elle s'effrayait, elle tâchait de réparer, et elle recommençait. Avec l'âge son talent s'était alourdi, elle avait perdu le charme qui autrefois apaisait les blessures, et même les rendait agréables. Claude l'avait emmenée là, dans la plus belle ville, l'hôtel le plus raffiné, il avait placé en face d'elle toutes les merveilles du monde afin d'éclairer son dernier regard, de lui tirer encore un sourire, mais non, elle se murait dans le silence, un silence d'acier. Elle signifiait à Claude qu'il l'avait arrachée à son fauteuil, qu'il l'avait emportée, comme un vieux paquet. Ainsi Claude voulait rattraper des années d'insouciance : il se croyait quitte, bien à tort. Elle se taisait comme un huissier, les poches pleines de protestations. Thérèse et Claude finiraient bien par comprendre qu'ils devraient la laisser tranquille, la laisser mourir tranquille...

— Claude, je suis bien fatiguée.

Elle avait parlé d'une voix douce, si douce qu'elle semblait s'excuser. Ces mots ne venaient pas d'un silence méchant, plutôt d'un vrai silence, sans mots retenus, sans images muettes, un silence vide. Claude se rappela que sa mère était mourante, simplement mourante, chaque mot lui faisait mal, même un murmure devait être un combat. Il s'en voulut d'avoir attendu une réponse, un remerciement, pourquoi pas une lettre château : « Claude, je te remercie de ce que tu as bien voulu faire pour moi », ou encore : « mon fils est la générosité même. » Il eut honte, il dit :

— Le voyage était fatigant.

Elle approuva de la tête.

Il la conduisit jusqu'à son lit. Il prépara la couverture, comme un bon maître d'hôtel, avec un soin méticuleux, il aimait ces gestes délicats. Difficilement il la hissa, il la coucha.

— Maman, vous devriez dormir... Je vais me promener dans Venise.

Il la regarda d'un regard prolongé, attendri, un regard de fils, un regard de père, elle lui tendit la main, sa main tordue, il la prit, elle lui dit :

— Claude, je devrais voir un médecin...

Sa voix était faible, plutôt gaie, il se dit qu'elle ne voulait pas l'affoler, qu'elle souffrait, qu'elle le cachait, le courage était sa nature, jamais une plainte, jamais une larme, tous ils se tenaient ainsi dans la famille de sa mère, ils appelaient cela la dignité, mais le courage ne pouvait rien arrêter, le cancer l'avait rongée tout le temps du bateau, tout le temps de l'avion, là pendant qu'elle dormirait il continuerait de la ronger, pas une seconde le cancer ne se reposerait.

— Ne vous inquiétez pas. Je ferai venir un médecin...
dormez un peu... nous dînerons en bas... si vous le voulez
bien... nous dînerons à huit heures... à neuf heures vous
serez couchée.

Il avait l'impression de dire n'importe quoi, il aurait
voulu demander pardon, pardon de quoi, il ajouta,
presque bafouillant :

— Si tout cela vous plaît...

Elle dit :

— Oui, Claude.

Elle dit encore :

— Claude...

Et puis rien. Il crut qu'elle voulait parler. Il la regarda
avec anxiété. Il aurait voulu deviner ses mots, aider ses
mots, elle avait la bouche grande ouverte, sa tête était
retombée sur son épaule. Maintenant les paupières
avaient englouti les yeux. De nouveau ce souffle qui
montait trop vite, et qui se perdait.

IX

Il marchait dans Venise, au hasard. Il s'amusait à se perdre, parfois il s'arrêtait à l'ombre, il s'asseyait devant une porte inconnue, il étalait les jambes, il jouait avec les chats. Ou bien il descendait quelques marches, près d'un pont, il se cachait entre deux gondoles, il se regardait dans l'eau. Cela lui semblait nouveau, miraculeux, d'ordinaire il tenait en voyage le rôle d'un accompagnateur, de chef-d'œuvre en chef-d'œuvre, de souvenir en souvenir. « Claude, rappelle-toi, ici nous avons pris un verre. » « Claude, souviens-toi, ce tableau nous a tant plu. » C'était il y a trois ans, il y a sept ans, non, quatre. Lui ne se souvenait de rien, rien de cela, sa mémoire s'accrochait ailleurs, à des lumières, à des sensations, soudain ils débouchaient sur une place familière et là il savait tout, l'odeur des arbres, le nombre des réverbères, le mouvement maladroit d'Hélène quand elle s'était assise, les bouts de phrases échangés, ce brin de soleil quand ils s'étaient tus écoutant l'orgue qui venait d'une église. Ses souvenirs Claude ne les avait pas dans la tête, classés, datés, ils lui tombaient dessus d'un coup, au hasard du chemin, tels des gouttes de pluie. Quand il se promenait avec Hélène il s'obligeait à ce pèlerinage jonché d'anniversaires, comme les croix dans un cimetière, ou les photos d'un album. C'était à peu près pareil quand il visitait Rome, ou Londres, ou Marrakech, pareil partout, elle lui prenait la main, elle récitait le passé, il feignait d'écouter, parfois par gentillesse il ajoutait un détail sur la cuisine ou sur les églises, ses deux spécialités, elle aimait se promener dans la vie comme dans un musée, en suivant les flèches, reconnaître chaque détail, les changements venaient comme les rides, imperceptiblement, sans vraiment déranger, lui il suivait, un peu pour faire plaisir, un peu parce qu'il y prenait son plaisir, un plaisir différent, les pèlerinages lui laissaient le temps de penser ailleurs, nulle anxiété du chemin ou de l'heure, il y gagnait de pouvoir rêver, approuvant de la tête : « oui, je me souviens... », elle savait qu'il ne se souvenait de presque rien, qu'il se promenait autre part, nulle part, mais cette manière d'être ensemble et séparés faisait partie de leurs habitudes, ils cheminaient comme cela, elle marchant devant lui, jusqu'à la trattoria. Ils se retrouvaient au premier verre de vin.

Cela faisait dix ans, peut-être davantage, qu'il n'avait pas erré seul, dans une ville. Même à New York il emmenait quelqu'un. Il avait toujours quelqu'un à qui faire plaisir, il feuilletait son carnet, dans l'ordre alphabétique. « Je vais à New York... pour mes affaires... juste deux jours... veux-tu venir avec moi ? » Elle s'arrangeait, elle venait. Il aurait préféré partir seul, pourtant il téléphonait chaque fois. « Veux-tu venir avec moi ? » Il se savait incapable de retenir sa main sur le téléphone, il n'aimait que la solitude et toujours il l'encombrait. Seule Thérèse comprenait qu'il fallait lui dire non, « non, mon Claude, non, tu seras mieux seul », mais Thérèse était au-dedans de lui, elle le savait par cœur.

Claude marcha tout l'après-midi, encore la nuit venue, il passa des dizaines de ponts, il découvrit des églises nouvelles, il entrait, il s'asseyait, parfois il se mettait à genoux pour retrouver ses gestes d'enfant. Un vieux prêtre priait à voix haute dans une église vide et noire. Il s'approcha de Claude assis au dernier rang, ils étaient seuls. Claude lui parla en latin. Le vieux, ébloui, lui proposa de le confesser aussitôt. Claude hésita. Il ne s'était pas confessé depuis ses quinze ans...

Il est agenouillé à côté de Thérèse, dans l'église de Morgat, ce doit être la veille de l'Assomption, à chaque fête leur mère les conduit à confesse, ils attendent sagement leur tour, ils font semblant de prier. Claude regarde sa mère, elle s'avance par l'allée centrale, elle est serrée dans son tailleur blanc, elle regarde à gauche, à droite, elle cherche la meilleure place tout près de l'autel, elle prend sa tête entre ses mains, elle semble enfoncée dans la prière, elle se retourne de temps en temps pour surveiller les enfants. Elle lève les yeux au ciel, elle adore, elle supplie le Christ Roi, Claude sait que sa mère ne prie pas, Thérèse le sait aussi, leur mère ne s'intéresse pas à Dieu, mais elle raffole des églises et des postures religieuses. Claude regarde sa mère, si belle, toute mince, toute blanche, si joliment pliée en deux... elle est énorme, essoufflée, le vieux prêtre et lui essaient de l'agenouiller, ils tachent d'écarter les bancs trop serrés pour lui faire place, elle gémit : « mon Dieu, mon Dieu », elle respire de plus en plus fort, elle dit : « je voudrais prier. » Elle voit bien qu'elle ne peut pas se mettre en position, le chahut qu'ils font, tous les trois, secoue l'église, l'église est pleine, pleine de gens qui les observent, dans le fond on entend des rires...

Le prêtre insiste. Ce visiteur a l'attitude d'un fils de Dieu, la pénitence lui fera du bien. Claude se lève :
— Pardonnez-moi, mon Père, je suis fatigué, je ne puis me confesser aujourd'hui... je reviendrai... demain... un autre jour...
Il a dit cela en italien, il est content d'avoir trouvé les mots et même l'accent. Le prêtre lui propose de le bénir quand même, en attendant le sacrement. Claude accepte ce compromis, il s'incline, la tête presque au sol.

X

Ils dînèrent exactement à huit heures. Tout semblait préparé pour les satisfaire. La salle à manger encore déserte, leur table au bord de la fenêtre, la fenêtre sur le Grand Canal, rien que les étoiles et le silence, les tremblements de l'eau, ses claques au passage du vaporetto, des maîtres d'hôtel inclinés, de jeunes serveurs en quête d'attentions. Dans l'après-midi Claude avait acheté une longue robe noire pour sa mère, il avait pris la plus grande taille à cause du ventre, la robe traînait autour des pieds, il avait aussi trouvé un châle de laine pourpre, sa mère lui paraissait presque élégante, ils avaient commandé tous les deux le même potage, le même turbot, pour le vin il avait laissé le choix au maître d'hôtel, sa mère ne cessait de porter le verre à ses lèvres, elle continuait de se taire, mais cela devenait naturel, entre la nuit et l'eau, ils semblaient partager le silence comme un repas, Claude voyait qu'elle se donnait beaucoup de peine pour conduire la fourchette de l'assiette à la bouche, une longue distance que sa main parcourait par petites étapes, avec une infinie prudence. Deux fois elle laissa tomber un morceau de turbot, le maître d'hôtel se précipita, Claude eut peur qu'elle fût humiliée, il fit signe au maître d'hôtel de rester à distance. Il parlait comme dans un rêve, des mots lents, des mots rares, qui s'enchaînaient à peine, des mots qui glissaient sur l'eau, il racontait ses voyages à Venise, des voyages inventés, avec des détails vrais, sa mère l'écoutait, elle était au bord du sourire, maintenant il parlait d'Hélène, il l'appelait Sylvie, il décrivait une journaliste italienne qui se baignait, la nuit, nue dans le Grand Canal, le bateau de la police était venu la chercher, Claude avait fini au poste avec elle, il disait n'importe quoi, pour leur plaisir à tous deux.

— Claude, je voudrais un dessert.

Le maître d'hôtel avait entendu, par devoir il guettait chaque mot, il avança le chariot, elle y plongea le regard, comme un enfant.

— Maman, vous devriez goûter cette charlotte... Maman, goûtez donc cette mousse au chocolat.

Elle refuse le chariot, de la tête, elle refuse d'un regard désespéré qui dit non, la mousse s'éloigne et la charlotte, le maître d'hôtel prend l'air consterné. Claude parle pour la consoler, il dit que les gâteaux sont mauvais en Italie, lourds, vaniteux, gonflés d'apparence. Mieux vaudra partager une bonne tisane. Ils se taisent. Le canal aussi se tait. Rien qu'un avion, très loin, qui ronronne...

Thérèse et lui guettent le bruit des avions, l'aéroport est à dix minutes, ils ont préparé le dîner et le gâteau d'anniversaire, les quinze ans de Claude, le 15 août, ils attendent leur mère, elle a juré de les rejoindre, ils regardent l'océan à leurs pieds. Thérèse va de la cuisine à la table, elle surveille le turbot, et surtout le gâteau, elle déplace plusieurs fois les couverts, les trois couverts, elle les prépare à la fête. Claude a entendu l'avion, il a prévenu Thérèse, ils ont écouté l'atterrissage. Ils calculent le temps, puis ils allongent le temps : si sa valise sort la dernière, si le taxi se trompe de chemin... Ils échangent leurs montres. Leur mère n'arrive toujours pas. Claude a les yeux fixés sur l'océan, il compte les minutes. Thérèse s'agite de plus en plus, follement anxieuse, soudain le téléphone, c'est Claude qui va répondre, ils ont déjà compris.

— Claude, mon amour, j'ai raté l'avion. Je suis désespérée. Mon fils chéri, pardonne-moi... c'est trop bête... je prendrai le prochain avion, demain matin... surtout gardez-moi une part de gâteau... je pense à toi...

Elle les embrasse, elle raccroche. Ils vont dîner seuls, face à face, ils n'ont rien à dire, rien à se dire. Ils renoncent au turbot. Thérèse apporte le gâteau, il souffle les bougies une à une, sauf la dernière. Il dit :

— Je ne me marierai jamais.

Thérèse les rallume, elle dit :

— Dans quinze ans, dans trente ans, tu finiras bien...

Elle rit sans rire, Claude répète :

— Jamais.

Il ne soufflera pas les bougies, ils se taisent, ils écoutent la mer qui leur tient compagnie. Thérèse coupe le silence :

— Maman a le droit de se distraire... ça n'empêche qu'elle nous adore.

Elle n'en pense pas un mot, mais elle voudrait que Claude soit heureux, c'est le gâteau de ses quinze ans.

A son tour le père téléphone, il est si désolé de ne pas être avec eux, il est bloqué par son travail, toujours bloqué par son travail, Thérèse l'embrasse pour les deux, pour les trois.

— Maman est à la cuisine... elle surveille le gâteau.

Elle répète :

— Maman est à la cuisine...

Ils sont plongés dans le mensonge. Claude est venu derrière Thérèse, il craint qu'elle n'ait envie de pleurer, il essuie doucement ses yeux :

— Nous sommes heureux ensemble.

Thérèse hoche la tête.

— Oui, Claude.

Ils ne disent plus rien. Ils restent les yeux perdus dans les étoiles.

— Maman, il est temps de vous coucher.

Déjà deux fois sa tête est retombée sur son épaule. Elle rêve ? Elle dort ? Il se lève, il va vers elle. Elle s'agrippe à la table et, d'une voix résolue, qu'il reconnaît à peine, elle dit :

— Claude, je veux revoir Torcello. Emmène-moi à Torcello.

Il est figé, comme au garde-à-vous. Il ne peut ni parler ni bouger. Sa mère veut revoir Torcello. Il aurait dû y penser. Sa mère connaît Torcello. Sa mère connaît Venise. Elle est pressée de retrouver ses souvenirs, là-haut sa chambre, là-haut son lit. Une vieille habituée. Sa mère a traîné partout.

Il répond comme dans un rêve :

— Je vous emmenerai à Torcello.

Elle s'endort. Il la regarde. Il regarde ce qu'il reste d'une femme légère, toutes ces chairs écroulées entre deux passages à Torcello. Elle aura tout gâché, même ce dernier voyage. Il s'étonne d'être si peu révolté, juste triste, si triste. Il contemple ce désastre. « Claude, emmène-la à Venise... elle n'y est jamais allée... »

Thérèse, ma Thérèse, nous ne sommes que des enfants

XI

Rien ne gênait son sommeil, mais il n'était pas question qu'il dormît. Les lourdes fenêtres tenaient le canal au loin, la nuit était parfaitement noire, protégée par les volets de bois et les rideaux de velours rouge, nulle chambre voisine, seulement l'immense salon qui le séparait de sa mère, le salon dormait, sa mère aussi, Claude n'entendait que sa propre respiration, le battement de son cœur quand il se tournait sur le côté, l'oreille dans l'oreiller, rien, ni voix, ni robinet, ni radio, pas même le murmure des vieilles maisons auquel il se fût attendu.

Claude était habitué, depuis longtemps, à guetter le sommeil comme un compagnon de jeu, à observer son approche, sa fuite, son retour. Parfois le sommeil s'emparait de lui par surprise, et Claude se retrouvait au matin, il avait dormi une pleine nuit, comme un enfant. Parfois le sommeil tournait autour, restant à distance, de longues heures, jusqu'à l'aube. Jamais Claude n'avait pris de somnifères. Il aimait trop ses précautions accumulées pour attirer le sommeil, ses insomnies familières, les longs préambules au bord du rêve. Couché, les yeux clos, jamais il n'allumait une lampe. Toute la nuit il restait dans la nuit. Mais aucune ne ressemblait à l'autre. Il réglait, dans sa tête, des tas de problèmes, il apprenait par cœur les lettres qu'il écrirait le lendemain, il composait un opéra fantastique dont il dirigeait la première représentation, un triomphe, il assistait à son propre enterrement, serrant lui-même les mains, recevant les condoléances, il inventait des amours sauvages avec des amazones, il comparaissait devant un tribunal, il voulait crier son innocence, on lui refusait le droit de se défendre. La plupart de ses nuits étaient peuplées d'aventures auxquelles le sommeil l'arrachait, héros ou victime, parfois il luttait pour ne pas s'endormir, pour aller au bout de ses exploits, de ses plaisirs, parfois le sommeil et lui trouvaient des accommodements, à mi-chemin. La nuit était pour Claude le meilleur de la vie. Il éteignait sa lampe, comme on éteint les lustres, au théâtre, quand le spectacle va commencer. Il adorait se coucher.

La présence d'une femme à ses côtés risquait forcément de compromettre sa nuit. Claude commençait par s'occuper d'elle, parfois par goût, parfois par gentillesse, aussi parce qu'il croyait que c'était son devoir. Il se dépensait en prévenances, en gestes aimables, en fausses confidences, en vraies caresses, il la réjouissait aussi longtemps qu'elle le souhaitait, retenant son propre plaisir, souvent des heures, jusqu'à ce qu'elle fût épuisée, de crainte de la décevoir. Il s'entendait souvent dire qu'il était beau, un amant incomparable, ces compliments le flattaient et l'agaçaient à la fois, il s'en voulait de les avoir mérités comme un quelconque séducteur, mais il continuait, il se croyait obligé par la délicatesse, aussi par le goût du travail bien fait qui le tenait depuis l'école. D'ailleurs les mots lui manquaient, ou les attitudes, pour dire qu'il fallait en finir. Bien sûr il prenait son plaisir au passage, dans ces corps à corps interminables, mais il allait bien au-delà de son plaisir, le temps passait, il regardait sa montre d'un geste invisible, oui cela durait trop, trop de temps pris sur la nuit, sur sa nuit, il ne pensait qu'à l'heureux moment où il se retrouverait seul, enfin seul, seul pour jouer avec son sommeil.

Quand il consentait qu'elle restât dormir avec lui, les contrariétés s'aggravaient. Le moindre mouvement d'un corps près du sien, la respiration même silencieuse, la seule présence, l'idée même d'une présence, pouvaient gâcher sa nuit. Claude restait éveillé, il ne pouvait plus penser à rien, rien imaginer, il s'écartait pour ne pas rencontrer ce corps indiscret, parfois indécent, il remontait le drap au-dessus de sa tête, dans l'illusion qu'il n'entendrait plus le souffle étranger, aucune précaution n'y faisait rien, le sommeil refusait de venir, peut-être jaloux, elle dormait tranquillement, naïvement, elle ne voyait rien du désordre qu'elle avait jeté dans sa vie, elle dormait, heureuse de dormir, et lui il comptait les heures, les heures qui ne tournaient pas. Souvent il se reprochait d'être aussi compliqué, aussi mufle. Il s'en voulait de manquer à un contrat tacite. Alors il se mettait à la caresser, elle soupirait en dormant, elle lui disait : « je t'aime », ou encore : « mon chéri », toujours les mêmes mots accrochés aux mêmes gestes. Il répondait : « dors bien », il lui en voulait, il s'en voulait, il s'enfonçait dans sa solitude.

Parfois, la chance aidant, les choses semblaient s'arranger. Elle dormait à poings fermés, immobile, effacée. Elle devenait légère. Alors le sommeil se rassurait, il acceptait de revenir, Claude retrouvait sa nuit, il entrait dans un rêve. Juste ce moment elle le choisissait, comme à dessein, pour s'approcher de Claude, un bras, une jambe, elle venait contre lui, il ne savait trop si c'était une requête qu'il fallait satisfaire ou rien qu'un moment de tendresse qu'il suffisait de négliger. Comme toujours il choisissait la solution la plus exigeante, il renonçait au sommeil, il basculait sur elle, elle murmurait : « Claude... Claude... » sans vraiment s'éveiller, il ne répondait rien, il n'en pouvait plus de cette nuit sans fin, il accomplissait l'amour par secousses violentes, comme un bûcheron, soudain il la rejetait, il retournait dans son coin, de la jambe il la maintenait à distance, elle dormait de plus belle, lui il mâchait le drap, désespéré.

Au petit déjeuner Claude n'ouvrait pas la bouche. Il s'excusait, sans s'excuser : « je ne parle jamais le matin. » Il détestait le spectacle des amants défaits autour du café tiède, les cheveux gras, les paupières lourdes, les bruits de toilette qui allaient suivre, elle se farderait, elle s'habillerait, chaque mot, chaque geste lui imposerait l'image d'un couple, tous les couples du monde au même petit matin, avec chaque jour un peu de vieillesse en plus. Elle parlait pour remplir le silence, elle disait des insignifiances et il la trouvait sotte. Elle le savait tel, sans doute inguérissable, désespéré au lever, mais attentif et joyeux le soir, elle l'aimait aussi pour son étrangeté, il se faisait honte, il n'en pouvait plus d'être odieux : « pardonne-moi... je ne sais pas ce que j'ai », elle savait, ou elle devinait, il fallait attendre, laisser passer, le soir viendrait. Le dégoût de soi, le dégoût de la vie le submergeait.

Chaque nuit, s'il ne dormait pas seul, lui était une épreuve, et pourtant il recommençait. Il en voulait aux femmes de lui voler ses nuits pour peupler les leurs. Dès la seconde ou la troisième rencontre, elle lui disait en l'embrassant : « j'aimerais dormir avec toi. » Quand elle ne le disait pas, il croyait qu'elle le laissait entendre. Il répondait : « peut-être », ou : « oui, bien sûr » d'un ton désabusé, il gagnait quelques jours, il reculait l'échéance. Au moment où il risquait de basculer dans la nuit commune il annonçait qu'il devrait se lever très tôt, trop tôt, mieux vaudrait remettre à la semaine prochaine ; ou bien il expliquait qu'il lui fallait travailler une partie de la nuit. Souvent il se laissait faire. Parfois un rayon d'enthousiasme le réchauffait, il imaginait que cette nuit à deux ne ressemblerait pas aux autres, enfin un miracle, un chef-d'œuvre d'où surgirait l'amour, enfin son cœur battant ! La fatigue aussi l'obligeait à céder. Elle montait vers minuit, la difficulté de se rhabiller, de se séparer, de trouver les mots de l'au revoir, cela risquait de traîner des heures. Généralement Claude commençait trop tôt à prendre congé, il s'arrachait trop vite, il s'apercevait que c'était prématuré, presque grossier, alors il revenait en arrière, pour excuser sa précipitation, il refaisait les gestes de l'amour avec une ardeur feinte. Il arrivait aussi qu'au dernier moment tout recommençât, devant la porte, quand il partait, quand elle partait, ils s'embrassaient, avec un peu de tendresse, un peu de cérémonie, un adieu trop doux, ils continuaient de s'embrasser, impossible de s'arracher, et la fièvre remontait, ou faisait semblant, les caresses, les vêtements, le lit, l'après-lit, la nuit dévorée. Peut-être était-il plus simple de dormir ensemble, de l'accepter dès le dîner, d'éviter ces rebondissements. Il se résignait.

Il avait compris, dès ses vingt ans, qu'il restait seul quand il faisait l'amour, elle le faisait peut-être avec lui, mais lui toujours sans elle, elle avait beau l'envelopper, le rendre fou, et bavard, le faire rire, il était ailleurs, même s'il était amoureux il ne partageait pas son plaisir, son plaisir le prenait seul, le laissait seul. Toujours Claude était pressé d'en finir, pressé de partir, tandis qu'elle rêvait que cela durât, que cela durât éternellement, les corps liés et déliés, elle adorait le temps partagé, étiré, l'amour pris et repris dans la nuit sans heure, et puis la tendresse d'après le plaisir, elle le caressait avec amour, avec science, la bouche d'une femme, les mains d'une mère, il subissait les caresses, il avait peur de ce temps gâché, tombée la fièvre il découvrait un par un les défauts d'un corps que le plaisir avait fardé, ce souffle haletant l'irritait, Claude n'avait rien à dire, il n'avait pas de tendresse, ou plutôt une sorte de tendresse paternelle, douloureuse, il lui passait la main dans les cheveux, il la voyait devenir vieille, ou marcher à quatre pattes, il lui disait : « ma pauvre enfant », il regardait sa montre, il rêvait de s'en aller.

En voyage tout était différent. Claude renonçait à ses

nuits. Il les offrait, elles faisaient partie du voyage. Il ne risquait aucune déception car il l'avait décidé. Bien sûr on dormirait ensemble, bien sûr il serait disponible à toute heure, il attendrait le retour à Paris pour retrouver sa nuit. Ainsi découpait-il le temps qu'il cédait aux femmes, comme il découpait le temps pour chaque usage. Dans la vie vraie, il leur donnait de très courts moments, une heure ou deux, et des lettres entre les rencontres pour s'excuser et faire attendre. Dans la vie suspendue des voyages il leur consentait tout le jour, toute la nuit, mais il pensait ailleurs, il rêvait ailleurs, si courtois, si prévenant que son absence ne se voyait pas, ou qu'elle s'oubliait aussitôt.

XII

Claude ne dormait pas. Sa mère tardait de rentrer. Il attendait, guettant la porte, il ne pouvait dormir avant que sa mère fût couchée. Elle se donnait un mal fou pour ne réveiller personne, elle marchait à tâtons dans la nuit, entre les meubles, elle s'arrêtait tous les trois pas pour écouter le silence. Thérèse aussi attendait. Deux ou trois fois leur père était venu dans la nuit de leurs chambres, il les avait embrassés sur le front, très légèrement pour ne pas les réveiller, Claude avait allongé son souffle, il avait fait semblant de dormir d'un grand sommeil que rien n'aurait pu déranger, il ne voulait surtout pas que son père fût malheureux. Thérèse aussi faisait semblant dans la chambre à côté. Maman rentrait souvent entre deux et quatre heures, il y avait une conversation, parfois deux ou trois mots, parfois un long débat, jamais de dispute, Thérèse et Claude étaient obligés de retenir le sommeil jusqu'à ce que les parents fussent couchés l'un et l'autre, plus une voix, la ligne de lumière effacée sous la porte. Alors Claude était libre. Il récitait ses leçons, afin qu'elles reviennent toutes fraîches au matin, des messieurs s'agitaient dans sa chambre, des ombres, ils montaient aux rideaux, ils s'asseyaient sur la chaise, ils se la disputaient, jamais ils n'approchaient du lit, ils parlaient entre eux jusqu'au jour, une rumeur vague. Parfois aussi il croyait entendre du bruit dans la chambre de Thérèse, il se levait, il collait l'oreille au mur. Il ne pouvait dormir si Thérèse ne dormait pas. Quand le sommeil le prenait, c'était l'heure de se lever.

XIII

Il n'avait pas la tête libre, il devait veiller sur le sommeil de sa mère, de l'autre côté du salon. Elle était bourrée de médicaments, elle en avait toujours pris des doses énormes, même à quatre heures du matin, sinon elle ne fermait pas l'œil. Plus de dix fois depuis le début de la nuit Claude avait enfilé sa robe de chambre, pour qu'elle ne l'aperçût pas en pyjama, il avait traversé le salon sur la pointe des pieds, suivant un itinéraire compliqué qui tournait autour des fauteuils, il avait ouvert la porte, très lentement, très doucement. Il restait dans l'embrasure, il n'osait approcher davantage, moins par peur de l'éveiller que pour n'être pas indiscret, les rideaux laissaient passer un peu de lumière, il ne distinguait ni le visage, ni les cheveux, juste une masse imprécise enfoncée dans l'oreiller, tournée vers la fenêtre, elle ne bougeait pas, il écoutait le souffle, bien trop rapide, parfois il cessait d'entendre, quand montait le ronflement d'un bateau sur le canal, alors il avançait d'un pas, le souffle revenait, Claude reprenait sa place, il restait à écouter, dix minutes environ, puis il s'appliquait à retourner à sa chambre par le même chemin, le même silence, à peine avait-il fermé la porte qu'il la rouvrait, il voulait se rassurer une dernière fois, il reviendrait tout à l'heure, très vite. Il était obligé de revenir toutes les heures, sinon il n'aurait pas été tranquille. Jamais il n'avait veillé sur un malade. Il ne savait donc ni le rythme, ni la manière, il improvisait, il préférait en faire trop, l'inquiétude le reprenait sitôt qu'il était couché, il se retenait pour ne pas se lever plus souvent, il ne pensait qu'au souffle de sa mère.

Il voulut s'en distraire. Il essaya de l'imaginer jeune, belle, comme elle avait été, de la faire dormir, dans la chambre voisine, les jambes mêlées à celles de son amant, la tête sur l'épaule d'un homme, mais il n'arrivait à rien, ni à lui rendre sa jeunesse, ni même à la déshabiller, aucune image ne venait, il recommençait quand même, ce souffle il tâchait de l'amplifier, d'en faire un gémissement, un cri, mais le souffle restait si fragile, Claude eut honte, il se précipita pour retrouver sa mère.

Il la regardait. Il ne la connaissait pas. Elle ne le connaissait pas. Ils allaient mourir sans avoir fait connaissance. Toujours elle l'avait appelé « mon fils chéri », « mon merveilleux fils ». Toujours elle avait admiré ce qu'il faisait, ce qu'il disait, elle le trouvait parfaitement beau, le plus intelligent, le plus sensible, elle l'adorait, comme elle s'adorait, son fils était au-dessus des autres, au-dessus de tout, mais elle ne savait rien de lui, elle n'avait aucune curiosité de lui. Il avait passé tous les concours en se jouant, tellement doué, elle n'avait pas lu ses livres qu'elle disait géniaux, elle savait à peine quel était son métier, elle ne s'intéressait ni à ses amis, ni à ses maîtresses, elle lui présumait les plus belles, jamais elle n'eût posé une seule question. Elle ne savait pas s'il était heureux, s'il l'avait été, s'il avait envie de l'être, elle s'occupait juste de sa santé, par habitude, avec des mots vagues : « tu n'as pas bonne mine », « Claude, tu travailles trop », mais elle n'était pas vraiment inquiète. Elle ne lui demandait rien. Il ne lui racontait rien. D'elle, il ne savait rien non plus. Il ne connaissait de sa mère que ce qui le concernait, la famille, la maison, les amis communs, les apparences, le reste ne le regardait pas. Il savait, comme tout le monde, que sa mère avait eu une vie compliquée, sans doute douloureuse, des amants, des ruptures, une vie encombrée de mensonges, il lui en avait voulu à cause des yeux mouillés de son père, elle était belle, si belle, elle adorait plaire, elle passait un temps fou à se farder, à se coiffer, toujours crispée à la maison, toujours se préparant à sortir, elle faisait des gestes trop rapides, qu'elle ne finissait pas, elle riait trop fort, d'un rire en cascade qui laissait mal à l'aise, brusquement elle pleurait, sans raison apparente, juste quelques larmes, elle se reprenait, elle se fardait, toujours le courage, l'allure. Non, il ne savait rien de la vie qu'elle avait menée, si elle avait été légère, ou souvent amoureuse, ou les deux, si un homme avait compté pour elle, si elle avait compté pour un homme, aucun de ses amants n'avait pour lui de nom, ni de visage, il ne savait pas si elle avait trouvé quelque part un moment de bonheur, ou si elle avait vécu toujours blessée, avec son rire pour se cacher. Jamais il n'avait interrogé son père. Son père d'ailleurs n'eût rien dit. Lui aussi, il s'était appliqué à la connaître le moins possible. Claude avait enveloppé sa mère d'un mystère qu'il n'avait pas le droit d'élucider, ni même de regarder, il ne la regardait d'ailleurs pas, il lui baisait la main, ou il l'embrassait en détournant les yeux. Quand il était enfant, sur la plage, qu'elle courait en maillot de bain, il fixait les yeux sur la ligne d'horizon, il n'avait pas le souvenir d'avoir même entrevu ses seins, et il eût chassé ce souvenir. Lui qui passait une bonne partie de ses nuits à regarder, dans chaque détail, des femmes nues, des femmes folles, auxquelles aucun geste ne faisait peur, il ne pouvait voir le ventre de sa mère. Peut-être avait-il, à peine né, décidé de ne rien savoir d'elle, une décision jamais prise, impossible à transgresser. Lui aussi il se tenait dans les banalités. « Maman, êtes-vous bien ? » « Maman, aimez-vous ce vin ? » « ce livre vous a-t-il plu ? » Ensemble ils parlaient des gens, de la musique, des livres, un peu de politique, mais ils avaient toujours été d'accord pour refuser la plus infime indiscrétion, ils respectaient un pacte pudique et commode, rien que des dialogues convenus, avec, le temps passant, de moins en moins de mots. Thérèse se moquait d'eux : « on dirait la rencontre de deux chefs d'Etat », Thérèse se débrouillait un peu mieux que Claude, plus bavarde en apparence, mais elle restait, elle aussi, au bord de toute confidence.

Il s'est levé plus de dix fois, la nuit n'en finit pas. Il reste debout contre la porte ouverte, il écoute sa mère, il observe qu'elle a remué la tête maintenant droite, creusant l'oreiller, le petit jour vient du canal, s'insinuant peu à peu, au-dessus des rideaux, le long des rideaux à leur jointure, Claude voit la bouche ouverte, il ne voit pas les yeux encore noyés dans le visage, le souffle s'est accéléré, Claude en est sûr, la troisième fois qu'il est venu il a eu l'idée de se prendre le pouls, pour avoir une mesure fixe du souffle de sa mère, le souffle s'est accéléré d'un bon tiers, alors qu'au lever du jour il devrait plutôt s'apaiser, Claude se dit que ce peut être son pouls qui se ralentit, la mesure qui se dérègle, n'importe il a peur pour sa mère, il a trop attendu pour appeler le médecin, ce n'est pas possible que ce cœur s'arrête un jour, le cœur de sa mère, ce n'est pas possible, ni lui, ni sa mère, ils ne sont nés pour mourir. Il voudrait la tenir, la défendre, il avance d'un pas, puis de deux, il est presque au pied du lit, elle bouge la tête, il n'entend plus le souffle, il a mis les mains sur le bois du lit, elle soulève la tête, ou plutôt il croit qu'elle soulève la tête, peut-être l'a-t-elle soulevée, insensiblement, il entend :

— Claude...

Elle murmure :

— Claude... tu vas prendre froid.

Il vient au bord du lit, au bord d'elle. Il remonte le drap, et la couverture. Il les remonte, lentement, jusqu'au menton, il embrasse sa mère sur le front, le front trop chaud, ou trop humide. Il est penché sur elle, la bouche contre son oreille.

— Dormez tranquille, tout va bien. Je suis là.

Il répète :

— Je suis là.

Il lui semble qu'elle dort à nouveau.

XIV

Thérèse les imagine, Claude et sa mère, tout au long de
ce samedi, elle est sûre que leur sort s'est joué ce jour-là,
qu'un mouvement d'elle eût suffi, le matin, peut-être
encore le soir, je crois qu'elle se trompe, qu'elle n'aurait
rien empêché, déjà c'était trop tard. Thérèse ne m'entend
pas, elle n'entend personne, elle aurait dû partir pour
Venise, retrouver Claude, supplier Claude, c'est sa faute,
elle a trahi son frère en ne comprenant rien, elle l'a
abandonné. Maintenant elle n'en parle plus, mais je sais
bien qu'elle n'en finira jamais de s'accuser, le temps
passera, elle ne se pardonnera pas.

Ce samedi, il avait commencé tôt le matin, très tôt pour
Claude. Dès huit heures il avait appelé le médecin. Il avait
supplié pour qu'il vienne d'urgence, un cas très grave, des
Français de passage. Le médecin aimait bien les Français,
il venait tous les ans à Paris. A neuf heures le médecin
avait ausculté la malade qui dormait encore. Il semblait de
méchante humeur, il ne cessait de maugréer, de prendre
et reprendre le pouls, de tâter le ventre, toutes les cinq
minutes il faisait le tour de la chambre, les mains dans

77

les poches, les yeux au plafond, il réfléchissait. Il avait demandé à parler à son confrère de Paris, le médecin traitant, il s'était enfermé dans le salon, un long, un interminable coup de fil. Claude avait pris la main droite de sa mère, elle s'éveillait lentement. « Maman, le médecin est là, tout va bien... » De sa main libre elle essayait d'arranger ses cheveux, mais la main se fatiguait le temps de venir aux cheveux, Claude regardait par la fenêtre, un temps gris, poisseux, entre la brume et la pluie, il voyait à peine la Salute, elle ressemblait à un ventre, Claude attendait le verdict du médecin, il alla chercher un peigne, il coiffa sa mère, avec des gestes timides, elle sourit un peu.

Le médecin était sorti du salon, silencieux, solennel, il avait entraîné Claude entre deux fenêtres, loin du lit, il lui avait parlé, à voix basse, avec des mots italiens et des mots français, des mots anglais aussi, le mot cancer dans toutes les langues, il lui avait expliqué que ce séjour à Venise lui semblait une folie, que sa mère était au plus mal, qu'on devait l'hospitaliser d'urgence, ou la ramener à Paris le jour même, en tout cas il dégageait sa responsabilité, non il n'y avait rien à faire, au moins ne pas précipiter la mort, il ordonnerait des piqûres, il enverrait l'infirmière, mais les piqûres ne serviraient à rien, peut-être à apaiser la souffrance, à bien réfléchir il déconseillait l'hôpital, le plus sage serait de la rapatrier, une vraie folie cette expédition.

— Priez Dieu pour qu'elle supporte le voyage.

Une dernière fois il avait pris le pouls, il avait haussé les épaules, il avait dit à la malade :

— C'est beau, Venise.

Elle avait répondu :

— Oui, docteur.

Elle avait essayé de sourire, Claude avait approuvé :

— C'est très beau, Venise.

Il avait accompagné le médecin dans le couloir, il lui avait remis un paquet de billets avec des mots de gratitude, et plein de sourires, le médecin avait lentement compté les billets, il semblait satisfait, de plus en plus satisfait tandis qu'il comptait, il avait consenti à Claude une bourrade, et un commentaire, sur un ton presque gentil :

— C'est dommage de mourir à Venise.

Claude avait corrigé :

— C'est dommage de mourir.

Il était revenu dans la chambre de sa mère, il avait dit :

— Vous avez vu, Maman, le médecin est content de vous.

Elle avait répondu :

— Je suis fatiguée.

Elle avait soupiré trois fois, très fort, et elle avait ajouté :

— Claude, tu te fatigues trop.

Vers dix heures Claude était descendu. Il avait demandé au portier l'adresse de plusieurs agences de location. Il devait, dans la journée, visiter des appartements pour un couple d'amis, des amis très intimes qui venaient vivre à Venise quelques mois. Puis il était remonté dans sa chambre, il avait occupé le téléphone plus de deux heures. L'infirmière avait débarqué tandis

79

qu'il déjeunait avec sa mère, elle dans son lit d'un œuf coque, lui d'un poisson froid sur la table au bord du lit, aussitôt Claude avait saisi son manteau, il avait embrassé sa mère, il avait prié l'infirmière de rester jusqu'à six heures, il l'avait instantanément réglée, le double de ce qu'il lui devait, plus un large pourboire, elle semblait très bien l'infirmière, affable et compétente, et il était parti, très pressé de partir.

A cinq heures il était de retour. Il avait expliqué au portier, puis à la réception, que sa mère allait très mal, qu'ils devraient quitter l'hôtel le lendemain, rentrer à Paris, il était confus, désolé d'avoir sa mère si malade, et de quitter le meilleur hôtel du monde. Non, il ne souhaitait pas que l'on commande un bateau pour le conduire à l'aéroport, des amis les emmèneraient. Il reviendrait le mois prochain. Il se plaisait tant ici.

Remonté à l'appartement, il avait remercié l'infirmière, avec effusion. Il lui avait annoncé qu'il aurait besoin d'elle, désormais, tous les après-midi, qu'il l'appellerait, le lendemain, entre huit et dix heures pour lui donner plus de précisions. Elle n'avait jamais vu un homme aussi aimable, le pantalon lui collait aux jambes, ses cheveux ruisselaient, il avait dû marcher tout l'après-midi sous la pluie. L'infirmière l'avait entraîné dans le salon pour lui confier que sa mère avait sali ses draps, la femme de chambre avait aidé à refaire le lit, on avait ouvert la fenêtre près d'une heure, en prenant garde que la malade ne prît pas froid, ce pouvait être l'effet de la piqûre, n'importe, l'infirmière y voyait un mauvais présage, la maman s'était excusée cent fois, elle était drôle à force de s'excuser, elle répétait : « Excuse me » pour tâcher de se faire comprendre, puis elle s'était rendormie, ne serait-ce cet incident elle avait été très sage. L'infirmière n'arrêtait pas de parler, de plus en plus vite, Claude feignait de tout comprendre, il hochait la tête comme un automate, sans un mot, sans un sourire, elle eut peur de l'avoir froissé, elle ajouta :

— Elle est gentille votre maman, et vous aussi.

Il ne répondit pas.

Un peu plus tard, il avait téléphoné à son bureau, il avait demandé à parler à sa secrétaire. Elle venait de sortir, elle était toujours sortie quand il appelait. La téléphoniste lui avait demandé si on pouvait le joindre, à quelle heure, non, on ne pourrait pas, à aucune heure, c'est lui qui recommencerait, à six heures. A six heures précises il avait rappelé. La secrétaire avait bafouillé ses excuses, il avait dit : « peu importe », elle se souvenait de cette réplique, d'habitude il la sermonnait sur un ton ironique ou glacial. Il lui avait longuement expliqué comment elle devrait, le lendemain, lui faire un virement bancaire, tout expliqué dans le moindre détail, trois fois elle l'avait prié de répéter le montant du virement tant la somme lui avait semblé importante, elle lui avait donné des nouvelles du bureau, il n'avait posé aucune question, pour le reste elle l'avait trouvé lointain comme à l'ordinaire. A la fin, il lui avait demandé de ses nouvelles, mécaniquement, sans attendre de réponse. Elle s'était enhardie jusqu'à lui dire : « avez-vous beau temps ? » Il avait répondu : « rien que le soleil. » Il avait dit : « à bientôt » avant de raccrocher.

A huit heures précises, Claude et sa mère étaient descendus pour dîner. A nouveau ils s'étaient avancés, seuls dans la salle à manger vide, il tenait un bras de sa mère, de l'autre il entourait ses épaules, il l'enveloppait, ils avançaient à pas minuscules, les maîtres d'hôtel cherchaient les meilleures positions pour témoigner leur empressement sans troubler l'interminable traversée. Claude avait assis sa mère, avec d'infinies précautions, il s'était assis en face d'elle, ils se voyaient à peine entre les bougies trop hautes. Elle semblait écrasée entre son fauteuil et la table, lui se penchait en avant, pour mieux veiller sur elle, presque debout, il avait tout de suite commandé le meilleur champagne, il avait levé son verre, elle avait voulu lever le sien, le maître d'hôtel s'était précipité pour aider la main de la vieille dame, et le dîner avait commencé, tous les gestes d'un dîner. Ils étaient restés près d'une heure, un loup pour elle, des rougets pour lui, il avait beaucoup parlé, elle avait parlé aussi, trop fort, ou trop bas, il traduisait aux serveurs les moindres souhaits de sa mère, il les lisait sur ses lèvres, il avait insisté pour qu'elle prît du fromage, pour la convaincre il avait commandé une autre bouteille de champagne, le meilleur des meilleurs, il avait dit : « nous faisons la fête », elle avait commencé à chantonner : « tout va très bien, madame la marquise », d'une voix martelée par l'effort, avec des notes fausses et d'épais soupirs, il lui avait fait signe de chanter moins fort, tendrement il avait chanté avec elle, elle voulait à tout prix aller au bout de sa chanson, mais ce n'était plus qu'un murmure éraillé, alors, à la fin du fromage, pour faire déguerpir la marquise, il avait récité un poème, puis d'autres, des poèmes de ses dix ans, d'autres de ses quinze ans, elle donnait le nom de l'auteur, ils jouaient à l'examen, elle se trompa sur « la chair est triste, hélas », elle dit : « Rimbaud », il corrigea : « Mallarmé », elle se fâcha : « tu dis des bêtises... » Il confessa son erreur : « bien sûr, vous aviez raison. » Du coup elle perdit son assurance : « j'ai raison parce que je suis ta mère. » Ils essayèrent de rire, elle demanda à nouveau du fromage.

C'est alors qu'on vint le chercher. On le demandait au téléphone, une communication urgente. Il hésita à se lever. Il semblait avoir peur. Sa mère lui dit :

— Vas-y. C'est Thérèse.

Elle répéta : « Vas-y » comme un ordre. Il y alla.

Thérèse le suppliait de ne pas lui en vouloir. Elle avait conscience d'être indiscrète. Depuis près de deux jours elle était sans nouvelles, morte d'inquiétude.

— Tu me connais, mon Claude, morte d'inquiétude pour Maman, morte d'inquiétude pour toi... comprends-moi, je n'en pouvais plus... c'est le cinquième hôtel où je téléphone... je te trouve enfin... donne-moi de vos nouvelles... comment vas-tu, comment va Maman... Claude, tu es merveilleux...

Il laissa Thérèse aller au bout. Il la laissa se taire. Il ne dit pas un mot. Elle n'entendit pas un souffle. Elle crut qu'ils avaient été coupés, elle se souvient de ce silence interminable, elle dit plusieurs fois :

— Claude, Claude, mon Claude, tu m'entends, Claude parle-moi.

Alors il parla très vite, avec des mots qui se bousculaient. Il lui dit qu'il était justement sur le point de l'appeler, qu'elle avait bien fait de le précéder, que tout allait à merveille, Maman miraculeusement transformée, lui en pleine forme, le temps superbe, Venise plus envoûtante que jamais. Il dit que le médecin était venu, beaucoup moins pessimiste que le médecin de Paris, que leur mère mangeait, riait, chantait, une vraie résurrection. Il dit aussi que l'hôtel ne convenait pas, triste, austère, les chambres mal chauffées, l'ascenseur souvent en panne, qu'il avait par chance rencontré une amie d'autrefois, marquise et richissime, qu'elle possédait sur le Grand Canal un palais admirable, de sublimes tableaux et quatre domestiques, que Maman et lui quitteraient demain leur sombre palace pour ce vrai paradis. Maintenant il n'arrêtait plus de parler, il expliquait à Thérèse tous les avantages de ce projet, une chance inespérée, pour Maman une joie sans égale.

— Si tu la voyais, ma Thérèse, ce projet l'enchante, elle est comme une enfant.

Thérèse se souvient de chacun de ses mots, elle entend sa voix bousculée, presque haletante, au bord de l'enthousiasme, ou de la fièvre, elle ne pouvait pas deviner, le téléphone transforme tout et jamais Claude n'avait su téléphoner, pourtant cette hâte, cette fébrilité...

— Nous y serons demain... Maman est si heureuse...

Il avait ajouté qu'il y avait une ombre, rien qu'une ombre, le téléphone de son amie, hélas, en dérangement.

— Il est coupé, ma Thérèse, nous sommes en Italie, coupé sans motif, et pour plusieurs jours, c'est cela l'Italie... je te téléphonerai, ma Thérèse, je t'appellerai tous les jours... ne t'inquiète pas, tout va bien, tout va très bien...

Il a chantonné au téléphone : « Tout va très bien... madame la marquise... tout va très bien... tout va très bien. » Thérèse était bouleversée, cette joie aussi c'était un miracle.

Cette joie, elle n'a pas osé la troubler.

— Mon Claude, appelle-moi quand tu veux... donne-moi de vos nouvelles.

Elle a ajouté pour se persuader :

— De toute manière, huit jours c'est vite passé.

A nouveau il s'est tu, un long temps. A nouveau elle a cru ne plus l'entendre.

— Claude... mon Claude... tu m'entends ?

Il a répété, presque machinalement :

— Huit jours c'est vite passé.

Elle a senti qu'il allait raccrocher. Elle a dit encore, très vite :

— Embrasse Maman, dis-lui que je l'adore.

Les derniers mots, il les a murmurés d'une voix presque éteinte :

— Elle dort... je l'embrasserai pour toi demain matin... je lui dirai que tu l'adores.

Et après un silence :

— Nous nous adorons tous trois.

Elle entendit encore :

— Au revoir, ma Thérèse.

Avant qu'elle eût répondu, il avait coupé.

Il est retourné à la salle à manger. Leur mère est

prostrée, le menton presque posé sur la nappe, les yeux fixés sur son assiette vide. Les maîtres d'hôtel se sont écartés d'elle. D'autres tables se sont peuplées. Le pianiste s'est mis en marche, le pied sur la pédale forte. Claude redresse doucement la tête de sa mère, il l'embrasse sur le front, il va s'asseoir en face d'elle.

— C'était Thérèse ?

— Non, ce n'était pas Thérèse. On m'appelait de mon bureau.

Il voudrait la distraire. Il chantonne, accompagnant le piano : « je vois la vie en rose... » Il danse de la tête, il se fait un regard langoureux. « lui pour moi, moi pour lui... » De la main gauche il bat la mesure. Elle ne le voit pas, elle ne l'entend pas, épuisée ou triste, elle aurait aimé que Thérèse appelât, le champagne, le fromage, les poèmes, il aurait fallu les raconter à Thérèse. Le piano s'arrête, Claude aussi.

— Vous savez, Maman, les communications sont presque impossibles avec Paris... nous appellerons Thérèse demain.

Elle approuve :

— Demain.

Puis encore :

— Demain.

Ils sont face à face, inertes, muets, ensemble et séparés Il sait qu'elle pense à Thérèse. Sans doute pense-t-elle qu'il y pense aussi.

XV

Le déménagement se fit sans trop de peine, à très petits pas, une place, un pont, une ruelle, encore un pont, un passage étroit sur les Fondamenta delle Veste, un doux soleil les surprit deux ou trois fois, qui les mit de bonne humeur. Claude avait embauché un vieux gondolier pour porter les bagages. Le vieux ne cessait de les poser, de les reprendre, il suivait leur allure, parfois la malade s'arrêtait, peut-être pour regarder, peut-être pour chercher son souffle, elle poussait de petits cris, pour une mouette sur la grille, pour des enfants qui jouaient à la marelle, pour des touristes anglais : « Claude, regarde », et puis encore : « je suis fatiguée. »

Lui qui d'habitude ne supportait pas de traîner, qui marchait toujours en courant, voici qu'il prenait son temps, il se moquait de faire attendre le vieux qui piaillait derrière eux. Ils avaient mis près d'une demi-heure à passer le premier pont, elle voulait voir, lui aussi maintenant voulait voir, il lui racontait Venise, autrement que le premier jour, il inventait des anecdotes, dans chaque maison des amours secrets, des complots sous chaque porche, elle commentait : « c'est ridicule », ou : « Claude, tais-toi », elle n'en finissait pas de regarder les gondoles, sans doute ne voyait-elle que des formes, peut-être des lumières qui glissaient sur l'ombre. Jamais il ne cessa de la tenir par le bras.

A peine ils peuvent avancer de front, entre la grille qui borde le canal et les maisons oubliées. Ils entrent dans la vieille demeure, mal restaurée, trop ocre, les volets presque noirs. Ils montent l'escalier de pierre, une halte sur chaque marche, la porte est lourde, elle crie, elle ouvre sur un immense salon encombré de tables et de fauteuils, d'affreux grands fauteuils, couverts de velours rouges, comme les rideaux des fenêtres, trois fenêtres, elles donnent juste sur le canal, le quai est si étroit qu'on se croirait en bateau. Une porte basse ouvre sur la chambre, la chambre aussi donne sur le canal, elle est aussi vaste que le salon, les mêmes rideaux, les mêmes fauteuils, le même velours sur les deux lits côte à côte, une table sépare les lits, une table de Venise qui s'avance comme un ventre, elle risque de cacher les visages, il faudra rapprocher les lits. De l'autre côté du couloir une salle de bains, avec de vieux parquets, des murs tapissés comme le salon, comme la chambre, un lavabo y semble perdu, pas de baignoire, la douche se cache dans un rideau de plastique vert, au bout du couloir une très petite cuisine, les appareils s'emboîtent les uns dans les autres, tous assemblés par la laque, une cuisine modèle pour la vitrine d'un magasin, pas la place de s'y retourner. Claude a vidé la valise de sa mère, puis son sac. Il a mêlé leurs vêtements dans l'armoire de la chambre, de toute manière ils n'ont pas grand-chose à y mettre, en voyage Claude n'emportait que le minimum, ses amies l'étonnaient toujours, cette accumulation de robes, de pantalons, de chemisiers, de chaussures surtout, on eût dit qu'elles partaient pour dix ans, des bagages épuisants à porter, et parfois ridicules, il se demandait ce qui les obligeait à bourrer d'énormes valises, le désir de plaire, la peur de manquer, la difficulté de choisir, l'amour de soi, l'habitude. Son vieux sac à moitié vide faisait partie de sa coquetterie. Il plaignait les gens à vestiaire, sa mère aussi s'était toujours moquée d'eux. Maintenant leurs affaires sont rangées, méticuleusement rangées, elles tiennent sur le même rayon dans la grande armoire.

Claude a tout réglé. La femme de ménage viendra le matin à neuf heures. Elle partira vers midi. L'infirmière arrivera à trois heures, elle restera jusqu'à sept. Il a longtemps réfléchi pour décider s'il ferait les courses ou s'il les confierait à la femme de ménage. Il a choisi de s'en occuper lui-même à la tombée du jour. Ce n'est pas une corvée, au contraire. A Paris personne ne l'aide jamais. Il calcule ses courses, comme il prépare chaque activité, avec un soin méticuleux. Il réfléchit ses achats, il fait ses listes, commerçant par commerçant, il établit son itinéraire, il s'y tient. Il ne tolère aucun imprévu. Au retour, vidant ses sacs, il goûte la satisfaction de la besogne faite. Il aime tous les soins de la maison, le ménage, les carreaux, la vaisselle, la vaisselle sans machine car la machine gâcherait sa joie. Il y trouve la douceur du travail fait, un travail où l'achèvement, la réussite, sont clairs comme un verre bien essuyé. C'est l'aspirateur qui lui donne le meilleur plaisir : il y avait la poussière, puis il n'y a plus la poussière. Claude se réfugie délicieusement là où n'osent venir les complications, le fond d'une casserole, une moquette impeccable.

Ainsi commença leur vie. Le matin Claude se levait vers sept heures, il s'habillait, il n'allumait aucune lumière, sa mère dormait, il ne savait pas si son sommeil était très lourd, ou très fragile, il mettait un temps fou à tourner la clef dans la serrure, comme sa mère quand elle rentrait à tâtons dans la nuit, il allait dans Venise, n'importe où, au hasard, il était seul ou presque, parfois il s'asseyait sur une marche, il regardait la nuit s'en aller, il revenait à la maison avant neuf heures pour ouvrir à la femme de ménage, et se faire un café.

Toute la matinée il s'occupait de sa mère. Il l'installait dans un fauteuil le temps qu'on fasse le lit, maintenant il fallait chaque jour changer les draps, ouvrir longtemps la fenêtre, il l'enveloppait dans une couverture pour qu'elle ne prît pas froid, puis il la recouchait, il lui lisait les journaux, elle somnolait encore, il continuait de lire car elle ne dormait pas. Quand il était fatigué, qu'il n'en pouvait plus de lire, d'être attentif, il se levait, il allait à la fenêtre, il regardait les passants, il imaginait leur vie, il inventait des gondoles, il plongeait dans les eaux mortes, il reprenait des forces. A midi il servait leur déjeuner, toujours le même, un potage qu'il avait préparé la veille au soir avec trois légumes, un poisson, seul changeait le poisson, difficilement choisi, et toujours le champagne, le champagne ne les quittait plus. Après le déjeuner il proposait à sa mère une promenade, elle acceptait, elle refusait, elle hésitait, un long conciliabule s'engageait, elle discutait l'horaire, l'itinéraire, elle les rétrécissait, elle n'arrêtait pas de dire qu'elle était fatiguée, de plus en plus fatiguée, il ne savait pas si elle exagérait, ou si elle cachait, à force de courage, le pire de sa fatigue, l'épuisement de sa vie. Ils ne faisaient pas tout le chemin prévu, leurs pas se ralentissaient, elle pesait plus lourdement sur lui, au retour il la portait presque, retrouvant sa chambre elle semblait satisfaite. Elle concluait : « nous avons bien marché », il commentait : « nous avons marché plus longtemps qu'hier », ce n'était pas vrai, chaque jour l'expédition devenait plus brève, plus compliquée, il remontait sa mère vers quatre heures, avant la nuit, il plaçait son fauteuil près de la fenêtre, pas trop près, l'infirmière prenait le relais, elle commençait à veiller sur elle, des soins vagues, on ne savait lesquels donner, sauf les piqûres, on lui lavait les pieds, les mains, on la coiffait, elle ne cessait de remercier l'infirmière, et de la réprimander, tout était mal fait, fait trop tôt, fait trop tard, seul Claude savait tout faire, l'infirmière riait, elles étaient comme ça les vieilles, toujours râlant, toujours réclamant, par peur de ne plus compter, surtout les vieilles gâtées comme celle-là, gâtées par un fils gâteux.

Alors Claude sortait. Il allait s'installer à la terrasse d'un café, il y restait deux ou trois heures, il consommait une succession de cafés, moins par goût que pour se faire pardonner sa trop longue présence, il ne cessait de distribuer des pourboires, et des sourires, il regardait les gens, les enfants qui jouaient, des enfants laids, et criards, les siens eussent été différents. Il regardait les couples qui s'embrassaient, comme au cinéma, des baisers convenus, sans grâce, sans invention, des langues pâteuses, les hommes le dégoûtaient plus que les femmes, les femmes avaient la grâce des gestes, les hommes, dès qu'ils touchaient à une femme, devenaient lamentables, coincés entre la veste et le pantalon, il détestait leurs mains épaisses, leurs regards ronds, vulgaires comme des boutons de braguette. Il sortait de sa poche des liasses de papier, il commençait à écrire, il n'arrêtait plus d'écrire, il ne voyait plus personne, ni rien autour, des lettres, des lettres à tout le monde, à Thérèse tous les jours, à Hélène, à Pierre, à Marie, à Esther, à peu d'hommes, à beaucoup de femmes, à des amies inventées, il devenait cynique, il mettait les mêmes mots, toutes elles aimaient les mêmes mots, des mots hésitant entre l'amour et la tendresse, des mots chargés de mystère, des mots comme le crépuscule, il lui disait qu'il avait pensé à elle, ici, précisément, par hasard, mais il n'y avait pas de hasard, ce devait être l'émerveillement, le brusque retour de l'émerveillement, le soleil, la fièvre, te souviens-tu, il s'enflammait en écrivant, il la prenait entre les tables, ils roulaient sur la plage, ils collaient l'un à l'autre, l'eau, la vase, ils entendaient battre leurs cœurs, remuer l'océan, soudain ils se déliaient, ils s'écartaient, ils restaient étalés côte à côté, le dos sur le sable, juste assemblés par les mains, par les pieds, ensemble ils comptaient les étoiles, il écrivait n'importe quoi, à n'importe qui, il savait qu'il déchirerait les lettres quand viendrait la nuit.

Le soir, Claude et sa mère dînaient à huit heures précises, jamais plus tard. Ils avaient toujours vécu comme deux horloges. Tantôt il dressait la table dans le salon, tantôt dans la chambre, il avait acheté des nappes de dentelle, des chandeliers de Venise, des assiettes et des couverts d'argent qu'il avait eu de la peine à trouver, il avait d'abord mis les couverts l'un en face de l'autre, puis l'un à côté de l'autre, ils pouvaient mieux se prendre la main. Sa mère s'était coiffée et fardée, avec des gestes maladroits, elle avait de la poudre par paquets sur le visage, et des plaques roses, on aurait dit un clown, elle avait mis son grand châle pourpre. Il allait et venait de la cuisine à la table, il faisait les gestes d'un maître d'hôtel, et ceux d'un sommelier, il la servait, il se servait, il s'inclinait, parfois il ouvrait la fenêtre, pour entendre la ville, juste au-dessous d'eux il guettait le passage d'une gondole, sa mère n'entendait pas, mais l'air frais venait à elle, l'air de Venise, l'air du large, il n'y avait pas de conversation, non, de longs monologues, les leçons apprises et les livres lus lui revenaient ensemble, ils déferlaient, Claude se retrouvait comme autrefois rue d'Ulm, capable de parler toute la nuit, de brasser l'espace, le temps, et l'aventure humaine, sans oublier Dieu, dans la vie il se taisait, rien ne valait la peine d'être dit, les mots s'arrêtaient, les pensées aussi, maintenant il parlait comme un torrent, un torrent de connaissances, d'idées, longtemps retenues, qui s'échappaient en bouillonnant, et des images, partout des images, il parlait comme un film, une succession de plans, des enchaînés, des rompus, il sautait d'un sujet à l'autre, d'un tableau à une idée, d'un événement à un poème, il parlait de tout, il mêlait tout, sauf la mort, la mort était absente, et l'après-mort, la mort était interdite, si elle approchait il l'esquivait, il faisait d'énormes détour pour l'éviter. Fini le dîner il chantait, il récitait, il déclamait la fenêtre ouverte, tous ils devaient l'entendre, sauf sa mère, elle entendait quand elle pouvait, quand elle voulait, toujours elle avait trié. Quand il était trop fatigué, il venait à son oreille, il lui parlait à voix basse, sur un ton de confidence, il lui disait qu'elle était la plus intelligente des femmes, qu'elle avait été la plus belle, qu'elle était toujours la plus belle, que Thérèse et lui l'adoraient. Alors elle entendait tout.

Le temps du dîner, de l'après-dîner, elle semblait revivre, elle buvait, elle murmurait, jamais plus de six mots, elle riait, juste les premières notes de son rire en cascade. Bien sûr elle se mourait, mais elle était là, près de lui, tous deux ensemble. C'est la nuit qu'elle recommençait à agoniser. Le cancer devait s'assoupir dans la journée. Vers minuit il se réveillait, il reprenait son travail, profitant du noir il la rongeait, il mettait les bouchées doubles. Claude ne se déshabillait plus, il tombait sur son lit, pas question de dormir, ni même de rêver. Il écoutait, il ne pouvait qu'écouter le bruit de ce moteur usé. A certains moments le cœur s'étouffe, on dirait qu'il va s'arrêter. Il repart en secousses, il s'énerve, il devient fou. A nouveau les explosions s'espacent, elles hésitent, elles s'étranglent, le souffle semble un miracle. Des heures Claude tient le poignet de sa mère, ce n'est pas pour chercher le pouls, il y a renoncé, c'est pour tenir sa mère, pour la retenir, pour lui passer, par le fil des mains, un peu de sa vie. Tant qu'il lui garde la main, elle ne peut pas mourir.

Ainsi fut le dimanche, puis le lundi, le mardi, le mercredi. En quatre jours Claude n'avait pas dormi dix heures. Mais il avait parlé plus qu'en une année, et écrit des lettres de quoi remplir des volumes. Il ne se rasait plus. Sa mère admirait cette barbe naissante. Tous les jours il appelait Thérèse :

— Maman va de mieux en mieux.

Elle dort, il veille. Il pense à Hélène. Il pense qu'elle devrait dormir dans le lit d'à côté, toujours sur le ventre, le visage dans l'oreiller. Il devrait entendre son souffle, s'agacer, lui passer la main dans les cheveux pour qu'elle change de position. Il pense que toute sa vie il a veillé sur des femmes. D'abord sa mère, Thérèse, et puis les autres. Où qu'il se tourne, il ne voit que des femmes. Les hommes sont absents, trop occupés, trop soucieux. Il a dix ans, il porte déjà le poids des femmes. Il a mission d'apaiser leurs humeurs. Il sèche leurs larmes. Il ne peut se reposer que si elles sont toutes heureuses, et comme elles ne le sont jamais ensemble, il n'a jamais droit au repos.

En vacances à Morgat ils marchent côte à côte sur la route, entre l'océan et les maisons alignées, des maisons de nains, toutes pareilles, blanches au toit bleu sous le soleil, juste la porte et les deux fenêtres qui regardent la mer. Il tient la main de sa mère, il dit :

— Quand je serai grand, j'achèterai une maison pour nous deux.

Il pense à Thérèse, il corrige :

— Pour nous trois.

Il pense à son père, il corrige encore :

— Pour nous quatre.

Sa mère éclate de rire :

— C'est bien trop petit pour quatre.

Il a peur de l'avoir peinée. Il rectifie :

— Je l'achèterai pour nous deux.

Elle lui passe la main dans les cheveux, il décide qu'il achètera deux maisons côte à côte, il travaillera le temps qu'il faudra. Ses deux maisons il les aura.

Il doit être en cinquième. Il rentre du lycée. Dans l'escalier il entend déjà le piano, et sa maman qui chante. Elle chante tous les mardis et tous les vendredis, de trois à cinq heures. Elle est accompagnée par un vieux professeur bossu qui tape sur le piano avec des mains rageuses. Sa maman chante Fauré, Duparc, des mélodies qui parlent de chagrins, d'amours brisés, d'automnes mélancoliques. Il aime cette tristesse douce. Sans se faire voir il se glisse sous le piano, il frôle les pieds de sa mère, il l'écoute, il regarde les chevilles qui s'échappent des chaussures quand elle chante vers le ciel, il baigne dans un merveilleux désespoir, elle le surprend, elle le gronde, elle l'embrasse. Il court travailler dans sa chambre. Son devoir est d'être le premier en classe, toujours le premier. Il connaît son devoir. Il lui sera fidèle.

Sa mère, on dirait un oiseau qui se jette sur les vitres de sa cage. Elle rit, et son rire se casse. Elle fait des gestes trop rapides, et qu'elle ne finit pas. Elle se met au piano, elle entame un prélude de Chopin, et brusquement elle referme le clavier. Elle parle d'une voix trop ardente, elle précède ou elle suit ses mots. Elle s'en va, elle revient, elle s'en va trop vite, elle revient sitôt partie. Elle n'en finit pas de se faire mal, elle croit qu'elle le cache, elle refoule ses larmes, mais elle ne dissimule rien. Le voudrait-elle qu'elle ne le pourrait. Elle a le visage et les gestes du malheur. Il lui prend la main, il ne peut rien faire d'autre pour elle que lui prendre la main.

Il aime être malade, il l'est souvent, d'une sorte de langueur vague, avec un peu de fièvre, qui suffit à le tenir au lit. D'une main sa mère lui tient la tête, et de l'autre elle avance une cuillère à dessert. Il avale voluptueusement un sirop couleur de cassis, bon pour les bronches. Puis sa mère lui lit un livre. Il ne dit pas qu'il l'a déjà lu. Il n'entend pas le récit, il écoute la voix.

C'est la guerre, il a treize ans. Ils sont réfugiés dans une ferme du Gers. Faute de place, il doit dormir dans le même lit que sa mère, le lit conjugal qu'ont prêté les paysans, immense, sous un crucifix encombré de buis, de chapelets, de fleurs séchées. Il se couche le premier. Sa mère attend qu'il dorme pour le rejoindre. Elle sort du cabinet de toilette, il la voit dans la fente de ses yeux à demi fermés, elle s'agite, à peine couverte d'une longue chemise de nuit blanche, ses cheveux décoiffés flottent sur les épaules. Elle lit, une heure ou deux, un livre dont elle tourne rarement les pages. Elle est si près de lui qu'il sent ses jambes contre les siennes aussitôt qu'elle remue. Elle l'embrasse sur le front, un baiser qu'il ne rend pas puisqu'il dort. Elle éteint. Longtemps elle attend le sommeil. A quoi pense-t-elle? Parfois la nuit elle gémit, elle doit se débattre dans ses rêves. Elle est trop fragile, sa vie trop compliquée. Comme en dormant il lui pose la main sur le bras, pour l'apaiser. Il laisse la main posée. Elle se sent protégée. Elle s'endort. Quand il est assuré qu'elle dort, il l'embrasse en secret.

XVII

Le pèlerinage à Torcello, Claude l'avait préparé dans le moindre détail. Il avait retenu le bateau pour midi, pour treize heures une table tranquille à l'hôtel, près de la fenêtre, pour qu'elle aperçoive le jardin, la meilleure chambre afin qu'elle pût se reposer l'après-midi, de nouveau le bateau à cinq heures. Il avait fait les boutiques de Venise pour trouver un manteau de laine noire, une sorte de houppelande très chaude, et un grand parapluie d'homme capable d'abriter deux personnes. Le temps promettait d'être beau, mais Claude devait tout prévoir. Cette nuit encore il ne ferma pas, l'œil. Il chercha des difficultés imprévues, il les régla, il en imagina d'autres pour les régler encore, il voulait que le voyage, que le souvenir fût parfait, qu'il dispersât les autres souvenirs. Il avait dit à Thérèse : « Demain nous allons à Torcello. Maman est folle de joie. »

Elle s'éveilla, comme d'habitude, difficilement. Il lui annonça que le temps s'était gâté, n'importe, ils allaient partager une journée merveilleuse, tout était prêt. Elle reverrait Torcello. Elle resta muette. Elle restait toujours muette jusqu'à dix heures. A onze heures il lui demanda s'il pouvait l'habiller. Elle lui dit qu'elle se trouvait trop fatiguée. Il attendit un peu, puis il s'approcha pour l'aider. Elle se mit à remuer la tête, d'un mouvement régulier qui signifiait son refus, elle n'arrêtait plus de remuer la tête, elle avait les yeux baissés pour ne pas voir son fils, son vieux corps s'accrochait au lit, non, elle était trop fatiguée, non, elle n'irait pas à Torcello.

Il ne comprend pas. « Claude, emmène-moi à Tor-cello. » Tout ce mal qu'il s'est donné pour elle, rien que pour elle, tant d'obstacles vaincus, tout cela saccagé, ce n'est pas possible, il insiste, il supplie, elle continue de remuer la tête, aucune force ne l'arrachera à son lit, les dents serrées elle dit : « non », pas un mot d'explication, l'explication la rendrait vulnérable, elle colle à son refus, rien autour, pas un mot de regret, pas un mot de douceur, son fils veut l'obliger à aller à Torcello, son fils est devenu son ennemi, elle crache son refus, elle prend le monde à témoin, « il veut me tuer », c'est sûr qu'elle mourra s'il la touche, elle a décidé de mourir si Claude approche, le moindre geste et elle entre en agonie. Il la regarde, il l'implore, elle ne cesse de balancer la tête comme un serpent, elle siffle son venin, un pas vers elle et il la tue, alors il recule, il la regarde encore, il espère encore, il multiplie les sourires pour l'apprivoiser, elle n'est plus qu'une machine à dire non, elle tient son ennemi à distance, elle l'oblige à la fuite, il se retourne, il part en courant, il claque la porte, il court comme un fou dans Venise, les gens se retournent, il court et il pleure, il court si vite qu'on ne le voit pas pleurer.

101

Il est allé à Torcello. Seul. Le bateau a glissé sur l'eau sale entre les quais de brique abandonnés aux ronces, aux chats, aux arbres morts. La pluie, une pluie tranquille, a duré tout le jour. Claude a tourné autour des églises, closes comme si Dieu faisait la sieste. Il a profité d'un furtif passage du soleil pour aller se coucher dans l'herbe, au bord d'un potager semé de bustes à vendre, d'anges, de saints, de femmes coquettes, un coq a chanté, d'un chant maigre, un chien est venu, blond, petit, sans forme, qui a mis la patte sur sa jambe étendue, Claude l'a caressé, maladroitement.

Vers trois heures il a déjeuné au restaurant. Il a tenu à régler deux déjeuners, puisqu'il avait réservé deux couverts, ils l'ont pris pour un original, un prodigue, le patron est venu le remercier. Il a demandé à occuper la chambre retenue, il s'est couché dans le lit pour froisser les draps, il s'est assis à la table, longtemps il est resté, la tête dans les mains, au bord du rêve. Puis il a écrit à sa mère une lettre qui n'en finissait pas. Il lui disait tout ce qu'il avait à lui dire depuis le premier jour, il a couvert des dizaines de pages, il a failli faire attendre le taxi. Dans le bateau il a déchiré la lettre, page par page, il a jeté tous les morceaux, l'un après l'autre, la nuit tombait, on aurait dit des papillons.

Il a marché dans Venise, longtemps marché, à la recherche d'un bordel. Il a fini par trouver trois filles autour d'une porte d'hôtel, trois grosses filles qui l'attendaient, ce n'était pas ce qu'il voulait, elles s'évertuaient à secouer d'énormes poitrines, lui il voulait une longue fille plate, surtout pas de seins, d'ailleurs il ne voulait personne, plus jamais personne, il a continué de marcher, il s'est assis dans une église pour y reprendre des forces, il a payé pour éclairer le chœur, il a mis deux cierges puis un troisième, il est reparti, au bas d'un escalier il a aperçu une gondole déserte, sur un bout de canal désert, il y est descendu, il s'est couché dedans, la main dans la poche il s'est masturbé en contemplant les étoiles, il est reparti, il est entré dans un bar, il a pris un whisky puis un second, à son sixième whisky ils l'ont gentiment mis dehors, il a marché jusqu'à la place Saint-Marc, en titubant. Il s'est couché au pied d'un réverbère.

Il est rentré vers minuit. Il a tâtonné jusqu'au lit de sa mère. Elle dormait, ce même souffle, fragile, hésitant, ce souffle suspendu entre la vie et la mort. Le cancer achève son travail, le cancer dévore sa mère et lui, pendant ce temps, il court les filles, il se saoule, il fait des colères de gosse tandis que sa mère agonise. Il se dégoûte. A la cuisine il boit trois grands verres d'eau. Puis il va se laver et se raser. Il prend dans l'armoire un pyjama de soie à rayures bleues et blanches, un somptueux pyjama que lui a offert une amie l'été dernier à Londres. Il le passe avec précaution. Il retourne à la salle de bains, dans la glace il se regarde, du doigt il caresse les rides au bord de l'œil, il se coiffe. Puis il prend deux comprimés, ceux qui font dormir sa mère, avec encore un grand verre d'eau. Il s'approche du lit, il ouvre doucement le drap, le lit est assez large, il s'y glisse peu à peu, par très petits mouvements, coupés de longues haltes pour ne pas éveiller sa mère, il écoute, le souffle n'a pas changé, Claude se tient très au bord, afin de ne pas la gêner, il reste sans bouger longtemps, peut-être une heure, il respire à peine, puis il écarte sa jambe, lentement, insensiblement, jusqu'à ce qu'elle vienne frôler la jambe de sa mère, les deux jambes sont maintenant l'une contre l'autre, d'abord au-dessous du genou, puis au-dessus. Encore un peu de temps et il dort.

XVIII

La situation s'aggrava dans la nuit du 10 au 11 novembre. Le matin dès neuf heures Claude appelait un médecin de Bologne, professeur à la Faculté, spécialiste de chirurgie du cancer. Claude se recommandait d'un ami commun, il suppliait le professeur de se rendre à Venise, sa mère était au plus mal. A la même heure il téléphonait à l'infirmière, il lui demandait de venir aussitôt, et de rester désormais tout le jour. Il précisait que sa mère avait vécu une nuit atroce, qu'elle avait longtemps crié, qu'elle semblait très fiévreuse.

Ce vendredi vers midi il joignit Thérèse au téléphone. Thérèse fut surprise qu'il l'appelât à cette heure, les autres jours il avait téléphoné le matin, autour de neuf heures. Par chance elle était restée chez elle, comme Claude elle détestait les jours fériés, spécialement le 11 Novembre, elle avait horreur des défilés, des cérémonies patriotiques, des hommes d'Etat raidis par la solennité, le torse gonflé des gloires nationales, c'était un des rares sujets de conflits avec leur père, lui il adorait la France, ses drapeaux, sa mémoire, il était bouleversé dès qu'on parlait d'elle. La voix de Claude parut à Thérèse lointaine, comme s'il se tenait à distance de l'appareil. Elle cria : « Claude, Claude, parle plus fort. » Il disait que tout se passait très bien, leur mère de plus en plus heureuse, le médecin venait aujourd'hui l'examiner, pure précaution, chaque jour elle allait mieux. Il avait décidé de prolonger le voyage, ce serait trop dommage de l'interrompre, aucune affaire ne l'appelait à Paris, aucune urgence, rien qui valût de compromettre cette résurrection. Il essaierait de rester une semaine encore pour ramener leur mère en pleine forme, pour lui ce n'était pas pénible, au contraire, le jour il se promenait dans Venise, tous les soirs il dînait chez des amis, la marquise l'entraînait de fête en fête. Thérèse était émerveillée. Elle admirait chez son frère cette générosité exubérante sous son masque d'indifférence, cette énergie qui lui permettait soudain de déchirer ses habitudes, elle se disait qu'il devait exagérer un peu, se distraire moins qu'il ne le prétendait, mais sans doute se plaisait-il à Venise, sans femme à promener, à divertir, enfin seul. Surtout Thérèse était heureuse qu'il eût retrouvé sa mère, si heureuse qu'elle eut envie de les rejoindre, de prendre sa part, elle lui dit :

— Veux-tu que je vienne ? Je pourrai te soulager... ça me fera tant plaisir.

Elle crut qu'il n'avait pas entendu. Il redit que sa mère allait très bien, qu'il n'y avait aucun problème. Elle répéta :

— Claude, veux-tu que je vienne ?

La conversation fut interrompue. Thérèse attendit une

heure qu'il appelât à nouveau. Elle attendit en vain, sans doute il essayait, il se donnait du mal, rien ne marchait en Italie. Elle sortit tristement, elle n'aimait pas le téléphone, tout la blessait, la voix, les mots, les derniers mots, jamais ce qu'elle espérait, trop de distance et de proximité, elle réfléchissait maintenant que Claude lui avait semblé absent, pour les autres il était toujours absent, jamais pour elle, pas une fois il n'avait dit : « ma Thérèse », il avait pris un ton d'homme d'affaires, elle se dit qu'il devait avoir appelé d'un hôtel, qu'il était pressé, bousculé, il n'osait faire attendre un type collé derrière lui et qui donnait des signes d'impatience, jamais Claude n'avait osé faire attendre quiconque, sans doute rappelle-rait-il le soir, elle resta triste.

Il téléphona à l'heure du dîner. Il parla très vite, sans laisser à Thérèse le temps de répondre. Il lui dit qu'il téléphonait d'une cabine, qu'il manquait de pièces. Il ne fallait surtout pas qu'elle vînt à Venise, la moindre émotion pourrait casser ce miracle, il se débrouillait très bien, elle était adorable, il l'adorait, ils se reverraient à Paris, dans quelques jours, leur mère en très bonne forme.

— Surtout, ne viens pas... ma Thérèse, je t'en prie ! Je t'appellerai demain...

Il avait raccroché. Tous les jours il concluait de même manière : « je t'appellerai demain. » Tous les jours il renvoyait au lendemain ce qu'il restait à dire, il gagnait un jour. Thérèse connaissait bien cette manière. Leur mère faisait de même. On la demandait au téléphone, une voix d'homme, Thérèse passait l'appareil, sa mère disait toujours la même chose : « Je pense à toi. Je t'appellerai demain... à demain... je pense à toi. » Elle raccrochait très vite. C'était une maladie de famille, arracher un sursis, encore un peu de temps...

Si elle avait pris l'avion ce soir-là, si elle avait fouillé Venise, elle les aurait retrouvés. « surtout ne viens pas, ma Thérèse, je t'en prie. » Elle n'est pas venue. Elle ne l'a pas revu.

XIX

La nuit suivante fut pire encore. Pourtant l'infirmière
avait renforcé la piqûre et Claude avait augmenté, après
beaucoup d'hésitations, la dose de somnifère. Le médecin
de Bologne se faisait attendre. La malade s'endormit vers
dix heures, à minuit elle commença de pousser des petits
cris, des cris aigus, comme les plaintes d'un oiseau blessé,
Claude lui passait la main sur le front, sur les tempes,
dans les cheveux, il l'embrassait, elle ne s'en apercevait
pas, elle criait de plus en plus fort, c'était parfois des
sifflements comme si elle criait avec sa tête, parfois des
grondements qui montaient de son ventre, elle avait mal,
elle était agitée de brutales secousses, ses bras, ses jambes,
tout son corps soudain soulevé par une force terrible, elle
se battait contre le cancer, ils luttaient férocement, tantôt
il la terrassait, il la dépeçait, elle gisait écrasée, tantôt elle
le rejetait, elle l'obligeait à basculer, elle roulait sur lui,
Claude ne pouvait rien, ils étaient seuls, le cancer et elle, à
s'entre-tuer. Claude allait chercher de l'eau, il essayait de
la faire boire, il lui passait une serviette mouillée sur le
front, sur les lèvres, il ne cessait de téléphoner au

médecin, ça ne répondait pas, il appela toute la nuit. Une ou deux fois elle hurla, très au-delà de ses forces, il crut qu'elle allait se déchirer d'un coup. Vers quatre heures elle se calma, elle parut s'endormir. Claude s'assit dans un fauteuil, contre le lit. Il y resta jusqu'au petit jour.

Le professeur vint vers midi. Il resta près d'une heure, il avait l'air soucieux, et sûr de lui, pas un mouvement inutile, les gestes d'un grand spécialiste, le calme des savants. Quand il eut fini il s'assit, il rédigea deux pages d'ordonnance, et il parla à Claude, d'une voix lente, dans un français impeccable, presque précieux :

— Monsieur, vous ne devez pas ignorer que votre mère est au bout de sa vie.

Il alluma une cigarette, et il corrigea :

— Tout au bout.

Claude approuvait de la tête. Il approuvait toujours de la tête quand parlait un médecin.

— Voici mes prescriptions. Cela dit, vous pouvez les suivre ou ne pas les suivre. Je doute que cela change grand-chose. Le problème est qu'elle souffre le moins possible...

Claude osa une question :

— Ma mère souffre beaucoup... ?

— Beaucoup, c'est peu dire.

Le médecin avait apprécié sa formule. Il la répéta. Il regarda Claude, pour mesurer son effet. Il eut égard à la fatigue, à la détresse de ce fils si dévoué, il corrigea un peu :

— Peut-être le traitement l'apaisera-t-il quelques heures... mieux vaudrait l'hospitaliser...

Claude traverse une chambre, des régiments de lits, une autre chambre, une autre encore, les malades ont déjà leur allure de cadavres, il arrive à son père, le drap blanc soulevé, la tête broyée, son père nu, détruit, sur un lit d'hôpital...

Claude ne répond pas. Il conduit le médecin à la porte, il ne cesse de le remercier, en français, en italien, il a préparé une enveloppe, il la lui glisse au milieu des remerciements, ni l'un ni l'autre ne s'en aperçoivent, au comble de la délicatesse, le médecin lui serre la main, il croit bon d'ajouter encore, les yeux baissés, sur un ton de complicité douloureuse :

— Hélas, monsieur, c'est à peu près fini...

Claude sort derrière le médecin. Il court à la poste. Il rédige un télégramme pour sa secrétaire : « Prolonge mes vacances d'une semaine. Stop. Merci prévenir mes collaborateurs. Stop. Vous téléphonerai. Stop. Amitiés. Signé Hartmann. » Il met un autre télégramme à Thérèse : « Tout va très bien. Stop. Je t'aime. Je t'appellerai. Signé ton Claude. » Le troisième télégramme, c'est à moi qu'il l'a envoyé, à moi plutôt qu'à Pierre, je n'ai pas compris pourquoi : « Tout va très bien. Stop. Préviens Pierre. Stop. Veillez sur Thérèse. Stop. Amitiés. »

Ce télégramme me fut porté le 14 novembre, au lever du jour, à peu près à l'heure où mourut sa mère.

XX

Passé les télégrammes, il avait téléphoné au Harris Bar pour retenir une table pour le dîner. Il était arrivé à huit heures précises, il voulait rentrer vite, avant le départ de l'infirmière. Les serveurs avaient fait semblant de le reconnaître, ils lui avaient adressé des sourires entendus, Claude avait répondu de même, il avait pris la tête d'un vieil habitué, un peu bizarre, qui aimait dîner tôt.

On l'avait installé tout près de la porte, à une table en retrait. Il pouvait y rester inaperçu, puis sortir sans être gêné. Il avait commandé un rizotto aux fruits de mer, puis un autre, il mourait de faim, il avait bu toute une bouteille de champagne, et pour accompagner ses expresso, cinq l'un après l'autre, il avait encore pris une demi-bouteille. Tout le temps de son dîner, il avait écrit. Il mordait son stylo, il se rongeait les ongles, il sortait des feuilles de sa poche gauche, il les couvrait dans tous les sens, de son écriture serrée, violente, quand elles étaient pleines il les repliait dans sa poche droite. Il se dépensait auprès du personnel en signes aimables. Il ne voyait rien, ni personne.

Quand Paola est entrée, précédant un groupe d'amis, dans un concert de rires, d'attitudes convenues, Claude était occupé à régler l'addition. C'est elle qui l'aperçut. Elle l'avait connu à Paris, elle y avait passé tout un hiver, mi-mannequin mi-journaliste, Claude avait été fasciné par sa beauté insolente, la folle audace de ses vingt ans, ils avaient passé ensemble deux après-midi, dont ils gardaient l'un et l'autre un bon souvenir, elle l'avait rencontré à nouveau ici même, l'an dernier, maintenant elle vivait à Venise, des photos qu'elle donnait à un journal de mode, surtout de ses caprices.

Elle alla vers lui. Elle crut d'abord qu'il ne la reconnaissait pas. Il achevait de régler l'addition, elle l'embrassa trois ou quatre fois, avec des gestes enveloppants, gracieux, comme les mouvements d'un grand oiseau, elle l'assaillit de petis cris de joie, de saluts franco-italiens modulés, traînants, harmonisés aux gestes. Il retrouva aussitôt son sourire de toujours, l'allure et le ton qui convenaient, oui il était de passage à Venise, chez des amis pour quelques jours.

— Tu n'es pas seul bien sûr... ?

— Je suis seul. Je suis venu pour travailler.

Claude Hartmann dînait seul, seul, seul à Venise, une chance, elle avait abandonné ses amis, elle l'avait accompagné dans la ruelle, elle voulait le revoir, très vite, demain, c'est ça demain, il paraissait pressé, absorbé, sûrement il écrivait un livre, il n'y avait qu'un livre pour posséder si fort un homme, il lui dit que c'était merveilleux de l'avoir rencontrée, il le lui dit d'une voix neutre, elle le crut ému, elle fut étonnée par sa barbe, séduite, elle

113

proposa qu'ils déjeunent ensemble dès le lendemain, quelle bonne idée, à une heure, au même endroit, il l'embrassa, il partit, il marchait à grandes enjambées, un pas à droite, un pas à gauche, elle orchestrait sa marche de grands « Ciao » qui se perdaient dans la nuit, de sa main tendue elle dessinait des cercles.

XXI

Paola n'avait qu'une demi-heure de retard quand elle entra au Harris Bar, Claude avait retenu leur table mais il n'était pas là, elle eut peur qu'il fût reparti, elle attendit, elle s'assit de table en table, bavardant et riant, il arriva vers deux heures, il s'excusa à peine, il n'avait pas mis de cravate, c'était la première fois qu'elle le voyait sans cravate, il lui rappelait un acteur américain dont elle cherchait le nom, pendant tout le déjeuner il ne desserra pas les dents, sauf des banalités sur le poisson, sur l'Italie, elle remarqua qu'il buvait trop et que ses mains tremblaient.

Elle lui proposa qu'il l'accompagnât chez elle, pour prendre le café. Il la suivit sans commentaire. Ils se déshabillèrent en silence, mécaniquement, il se jeta sur elle, ou elle sur lui, elle criait comme une folle, lui muet les dents serrées, il la soulevait, il la plaquait sur le lit, à nouveau il la soulevait, ils ruisselaient de sueur, il voulait la forcer à jouir encore, elle ne voulait plus, il la força, et quand ce fut fait il s'échappa, il la rejeta sur le côté d'un geste furieux, il se colla au lit le ventre sur le drap, il se se cambra. Elle comprit qu'il prenait son plaisir seul. Un long moment il resta immobile, la tête entre les mains.

Soudain Claude se leva. Il commença de s'habiller, il se mit à parler très vite, de plus en plus fort, un déluge de mots incohérents, il se parlait à lui-même, il s'empêtrait dans ses chaussettes et les bras de sa chemise, deux ou trois fois il trébucha, Paola aussi s'était levée, elle était nue, trempée, elle ne savait que faire, elle lui mit la main sur l'épaule, alors il commença de l'injurier. Bien sûr elle adorait son corps, elle vivait de son corps, elle vivait pour son corps, elle ressemblait aux autres, à toutes, elle était pire, elle gérait habilement son petit capital, facile de plaire à Claude Hartmann, les hommes sont des pitres, facile de plaire à des pitres. Il criait presque, elle avait peur, il tournait autour d'elle, elle disait : « Claude » d'une voix suppliante, elle ne faisait que l'irriter, il lui touchait les seins, du bout des doigts, il les giflait, des petites gifles de mépris, il déclamait : « vos pensées, vos soucis, vos bons soins, vos regards, où vont-ils, madame ?... à vos mamelles... » Elle tâchait de se protéger, mais il passait entre ses bras, des coups secs, précis, juste sur la pointe des seins... « jamais de bonne taille... trop grosses ou trop petites, trop petites les vôtres, bien trop petites... » Soudain il s'écarta, il arracha une glace au mur. « excusez-moi, j'oubliais votre cul... votre cul c'est votre gloire. » D'une main il immobilisa Paola par l'épaule, de l'autre il posa la glace sur une fesse : « regardez-le ce chef-d'œuvre, vendez-le s'il est temps

116

encore... » De la glace il balayait la peau. « hélas, madame, hélas, il n'est déjà plus temps. » Il jeta violemment la glace contre le mur, il prit Paola aux poignets, il l'obligea à se mettre à genoux, elle gémissait, il se fit aimable : « rassurez-vous, je ne vous toucherai pas... je ne vois aucune raison de vous toucher », il la força à baisser la tête sur le ventre : « je voulais juste vous faire remarquer que vos seins s'écroulent... », des deux mains il lui maintenait la tête courbée : « ils dégoulinent... »

Il lui lâcha les poignets. Elle se coucha au sol, secouée de larmes. Il l'enjamba, il se plaça debout au-dessus d'elle : « navré de vous dire que vous devenez vieille... », du pied il touchait ses hanches, il les remuait : « ni forme, ni couleur... un cul de vieille... »

Brusquement il s'écarte. Il enfile sa veste, il se dirige vers la porte. Paola se relève, elle attrape un drap pour s'enrouler, elle se tourne vers la fenêtre, elle sanglote, elle n'ose plus le regarder, il est saoul, il est fou. Il ouvre grand la porte de l'appartement. Il passe sur le palier. Il reste immobile, muet. Il reprend, d'une voix douce, un peu triste :

— Vous avez raison de me mépriser.

Il a les yeux fixés sur ses chaussures défaites. Il ajoute, presque à voix basse :

— Tu n'aurais pas dû me rencontrer ces jours-ci... Je te fais mes excuses...

Un long moment il est demeuré sur le palier, sans bouger, la tête et les épaules courbées, les bras ballants.

Il a dit encore :

— Paola, la jeunesse est obscène...

Et juste avant qu'il ne partît :

— C'est trop injuste.

Elle se souvient qu'il avait la voix brisée, comme s'il pleurait.

XXII

Il a erré dans les rues, il n'est rentré qu'à la tombée de la nuit. L'infirmière lui a dit que sa mère avait moins souffert, deux fois elle avait sali ses draps, mais elle ne criait plus, juste un râle régulier, rassurant. L'ennui était qu'elle ne mangeait plus rien, elle ne gardait plus rien, on ne pouvait plus que la faire boire, même un yaourt elle l'avait rejeté. Elle avait appelé : « Claude » au début de l'après-midi, deux ou trois fois. L'infirmière ne pouvait savoir si elle délirait ou si elle voulait parler à son fils.

Claude était debout contre le lit. Il avait éteint les lampes, les lumières qui venaient du canal suffisaient à éclairer le visage de sa mère enfoui dans l'oreiller, les yeux étaient clos, la bouche grande ouverte, c'était effrayant comme en trois jours ce visage avait maigri, le drap montait jusqu'au menton, sous le menton il recouvrait l'énorme paquet, le ventre, les seins, tout cela qui pourrissait, Claude voyait la forme des jambes, dessinée par le drap, elles semblaient toutes petites, comme des jambes de nain, les pauvres jambes de sa mère, infirmes, jamais plus elles ne serviraient à rien, elle avait un bras enfoui dans le lit, peut-être replié sur son sexe, l'autre pendait presque jusqu'au sol, Claude le souleva doucement par le poignet, il le garda. Elle ouvrit les yeux. Elle remua un peu la tête. Il crut qu'elle allait parler, qu'elle allait lui parler. Il dit, se penchant sur elle, peut-être lisait-elle les mouvements de sa bouche, qu'il était là, que tout allait bien, elle parut ne pas entendre, ne pas comprendre, il recommença : « Maman, c'est Claude, je suis là, tout va bien. » Cette fois elle bougea les lèvres, elle murmura : « Thérèse », puis encore : « Thérèse », à nouveau elle ferma les yeux.

L'infirmière avait passé son manteau. Au moment de sortir, elle fit demi-tour, elle entra dans la chambre, elle vit Claude qui tenait la main de sa mère contre son ventre, il ne bougeait pas, il avait les yeux rivés sur le visage de sa mère, elle eut l'impression de déranger, elle s'excusa :

— Je voulais revoir votre mère.

Claude ne leva pas les yeux. Il dit comme dans un rêve :

— Merci, à demain...

L'infirmière dit doucement :

— Demain je serai là...

Elle ajouta :

— Votre maman peut-être pas.

Claude ne répondit pas. Il entendit la porte se fermer, le pas rapide de l'infirmière dans l'escalier, il était tranquille, ils étaient ensemble pour toujours, la mort, la vie ne les concernaient plus. Le temps s'étirait indéfiniment, il l'étirerait comme jamais personne, jusqu'à demain matin plus de douze heures ensemble, des heures immenses, des minutes comme des heures, s'il le fallait il suspendrait le temps, quand viendra le jour reviendra le temps ordinaire, l'infirmière avait peut-être raison, la mort naîtrait avec le jour, n'importe, ils avaient une longue soirée, une interminable soirée à partager, et puis une éternelle nuit d'hiver, beaucoup d'amants n'en avaient pas eu tant, il regarda une mouche posée sur le mur, il se demanda quand elle serait morte, dans une heure, au petit jour, dans un siècle, le temps ne comptait plus. Claude avait toujours vécu projeté en avant, toujours en avance d'une heure, d'un jour, bousculant le présent, toujours il avait cravaché le temps, il l'avait forcé à courir, et maintenant il était passé derrière le temps, il le retenait, il s'arc-boutait furieusement pour le contraindre à s'arrêter, et telle était la force de Claude que le temps s'arrêtait.

Dans la salle de bains, il fit une longue toilette. Puis il mit son costume de velours bleu. Claude s'entêtait à ne pas avoir de smoking, il trouvait les hommes grotesques, déguisés en maîtres d'hôtel, il aimait son velours bleu parmi les smokings, marquant sa solitude.

Il dressa la table contre le lit de sa mère, la nappe de dentelle, les assiettes, jamais deux l'une dans l'autre, sa mère détestait cela, il préférait se déranger pour changer les assiettes, il mit soigneusement les couverts dans leur ordre hiérarchique, il plia les serviettes de dentelle, il posa sur la table deux candélabres, il alluma les bougies, six bougies sur chacun, il les alluma avec solennité, il essaya toutes les lampes de la chambre, il cherchait la meilleure lumière, ni trop, ni trop peu, une lumière ni criarde, ni sinistre. Quand tout lui parut convenir, il passa à la cuisine. Il prépara le dîner. Pour elle il fit griller une sole qu'elle ne mangerait pas, pour lui il plaça, sur un plat d'argent, deux tranches de saumon fumé, il n'y toucherait pas non plus, ensuite un yaourt pour chacun, peut être le goûterait-elle, et des fraises, sa mère adorait les fraises, il aurait préféré du caviar, et un mille-feuille, les deux passions de sa mère, d'habitude il apportait le caviar, Thérèse le mille-feuille, leur mère les mangeait avidement, sans rien dire, ils la regardaient manger, elle ressemblait aux chats, elle se précipitait pour ne rien perdre, toujours elle avait dévoré trop vite ce qu'elle aimait, par plaisir, par peur, il n'avait trouvé ni caviar, ni mille-feuille, d'ailleurs pour quoi faire, ni lui, ni elle...

Il ouvrit le champagne. Il s'assit en face de sa mère, il avait eu bien de la peine à la tourner un peu, vers la table, il avait installé un second oreiller sous la tête trop lourde, la tête retombait sur l'épaule, la grosse tête d'un ours en peluche. Si ses yeux s'ouvraient, elle pourrait découvrir la table mise, la fête préparée. Elle verrait son fils. Il servit solennellement le champagne, d'abord sa mère, puis lui, et il dit, d'une voix forte :

— Madame est servie.

Elle semblait dormir. Il la prit sous les épaules, elle était lourde, graisseuse, peut-être avait-elle de la fièvre, peut-être faisait-il trop chaud, il s'efforça de la soulever, de la tirer pour qu'elle fût presque assise, il dut s'y reprendre à quatre fois, il sentait ses doigts qui s'enfonçaient dans les seins, dans l'éponge des seins, il essayait d'écarter les doigts, mais les seins coulaient partout, le

122

drap avait glissé, il libérait une odeur d'enfer. Claude dut ouvrir la fenêtre, la refermer vite pour que sa mère ne prît pas froid. Elle était enfin assise, pas assise, cassée, le ventre occupait tout l'espace des genoux au menton, il lui sembla qu'on devait encore déplacer la tête, il prit la tête entre les mains, les mains sur les cheveux, les cheveux comme de la mousse, épais, glissants, il mit les doigts sur les paupières, il tira un peu, très doucement, les paupières vers le haut, il ne vit que l'œil blanc, pas blanc, sans couleur, couleur de rien, il se pencha sur le visage, il vint la bouche presque sur la bouche, il dit très fort, trop fort :

— Maman, vous êtes servie.

Rien. Toujours rien. Rien que le souffle, et le ventre qui bougeait. Alors il lui baisa les lèvres, les lèvres presque froides d'une poupée de porcelaine, il s'assit en face d'elle, il commença à dîner. Il remplit les deux verres de champagne, il trinqua, il les but, les deux ensemble, tant pis si ça débordait partout, il aimait l'odeur, la fraîcheur du champagne, il dévora son saumon, il mangea la sole, avec sa fourchette à lui une bouchée de saumon, avec sa fourchette à elle un morceau de sole, il faisait durer le plaisir, il mangeait lentement pour eux deux, et il n'arrêtait pas de causer. « Ce saumon est excellent... comment vous semble la sole... Maman, vous devriez reprendre du champagne... Claude, tu es merveilleux. » Parfois il les faisait parler ensemble, la conversation devenait folle : « Maman, j'ai mal... Maman, tu es un fils merveilleux... Claude, vous devriez me faire goûter votre saumon. » Il ouvrit une seconde bouteille, à la russe, comme il disait, le bouchon au plafond, le bouchon retomba sur le lit, elle ne bougea pas, il se leva, il leva les deux verres, les deux verres ensemble :

— A Thérèse... à Venise... à nous deux.

Maintenant il dansait autour de la table, il dansait le tango, les deux verres à la main, il hurlait la musique, il tanguait d'un bout à l'autre de la chambre, un verre en haut, un verre en bas, rentrant le ventre, bombant le torse, il avançait à petits pas, les coudes à peine ouverts, les verres en avant, il dansait du lit à la porte, de la porte au lit, du lit à la fenêtre, il chantait : « poum, poum, poum, poum... », il reculait, il avançait, il tournoyait, mais son regard ne quittait pas sa mère.

— Claude... j'ai froid.

Sa voix, sa voix de toujours, à peine voilée, il manquait à peine ce rien de préciosité qu'elle mettait partout. Il prit la couverture de son lit, il l'installa soigneusement sur le lit de sa mère, il rabattit le drap, il l'embrassa longuement sur les joues, sur le front, sur les lèvres, elle avait chaud. Elle répéta :

— Claude, j'ai froid.

Vite il débarrassa la table. Il laissa juste les chandeliers, il leur restait quelques minutes, quelques heures avant qu'ils ne meurent, peut-être ne mourraient-ils qu'à l'aube. Il prépara une piqûre, il releva le drap, il détourna la tête, elle ne réagit pas, il la fit boire un peu, l'eau se renversa sur l'oreiller. Il alla se déshabiller, mettre son pyjama. Il la rejoignit dans son lit.

— Maman, je suis là.

Il lui parlait à l'oreille :

— Ne vous inquiétez pas. Je serai toujours là...

Elle commença de bouger la tête. Il l'aida doucement des deux mains. Leurs fronts se touchaient presque, il sentait, sur son menton, ce souffle trop court et qu'il n'entendait plus.

Elle dit .

— Claude... Claude.

Il dit :

— Mon amour...

Il dit : « mon amour » comme il l'avait dit des milliers de fois, il l'avait dit à n'importe qui, à des putains d'une heure, à des amoureuses de hasard, à toutes celles qui le demandaient, il ne l'avait pas dit à elles, il l'avait dit à leur ventre, elles l'avaient pris pour elles, il redit : « mon amour », il le cria dans la nuit, pour que la nuit l'entendît, pour que le monde entier l'entendît, ma mère, mon amour, mon enfant qui naît, ma mère qui meurt, notre vie entière, ton ventre plat, ton ventre plein, ton ventre gonflé d'ordures, mon amour, Claude crie si fort qu'elle est forcée de l'entendre, elle murmure : « Claude », elle est née parce qu'il est né, il meurt parce qu'elle meurt, il n'y a d'amour que d'eux, il se blottit contre elle, il se creuse pour épouser son ventre, il sent battre leur cœur, rien ne peut plus changer, elle s'endort, il répète : « mon ange », « mon amour », il ferme les yeux.

XXIII

Elle recommença de crier vers quatre heures du matin. Claude fut réveillé par un hurlement, il crut qu'elle était tombée du lit, il se leva précipitamment, elle criait maintenant sur un rythme presque régulier, d'abord un gémissement, comme celui d'un animal blessé, puis des plaintes, de petites plaintes, courtes, presque suppliantes, et le hurlement revenait. Au premier cri, elle était agitée d'une brutale secousse, de la tête aux pieds. Ensuite, elle ne cessait de remuer la tête, elle avait repoussé le drap, les couvertures, le lit ressemblait à un champ de bataille, mais elle était presque vaincue, les mains pendaient de chaque côté du lit, molles, les doigts serrés.

Il alla à la salle de bains. Il se passa la tête sous l'eau. Elle cria si fort qu'il revint en courant, sa serviette à la main. Il lui passa la serviette humide sur le front, sur le visage, sur les yeux fermés, obstinément fermés, elle criait en dormant, elle parut s'apaiser.

Il avait soif. A nouveau il ouvrit une bouteille de champagne, il but un verre, puis deux, il décida de ne plus se coucher, il était si fatigué qu'il risquait de s'endormir, or il ne devait pas dormir, jamais plus dormir, il devait veiller sur elle, il répétait : « je suis là, mon amour », en buvant, en marchant de la cuisine au lit, il le répétait à mi-voix, pour elle, ou plutôt pour lui, elle ne devait pas l'entendre, il bégayait comme un disque éraillé, il titubait.

Il amena une chaise au bord du lit. Il s'assit. Il prit le poignet. Il eut beaucoup de peine à trouver le pouls, presque plus rien, des petits coups minuscules, hésitants, désordonnés. Il se leva pour vérifier, écouter le cœur. Il n'osa s'approcher. Il aurait fallu chercher entre le ventre et les seins, trouver un passage. D'ailleurs, à quoi bon !

Il resta assis, deux ou trois heures, un temps infini. Maintenant les cris recommençaient, toutes les deux ou trois minutes, les cris, puis les plaintes, enfin le silence, le répit, dans le silence il n'entendait pas le cœur, ni la respiration, parfois les bruits du canal se faufilaient entre les cris, Claude écoutait son cœur à lui, son cœur qui martelait sa poitrine, il était obligé d'ouvrir très grand la bouche, d'avaler des gorgées d'air, il avait du mal à respirer, l'odeur leur collait à tous les deux.

Il ouvrit la fenêtre. Il sentit que le jour allait venir. Il le sentit à rien. Les étoiles semblaient tranquilles, mais la nuit se préparait à partir, elle devenait légère. Le canal ne bougeait plus, personne autour, juste ce mouvement imperceptible du jour et de la nuit, sur la pointe des pieds, comme un pas de deux. Il eut peur que sa mère prît froid. Il referma la fenêtre.

Le temps qu'il se retourne, le temps d'un hurlement, sa mère a basculé sur le côté, la tête hors du lit. Il se précipite, elle est agitée de convulsions, elle glisse du lit, elle ne crie plus, elle râle, un râle du ventre, comme un râle d'homme, il essaie de la tenir, de la retenir, il s'y prend mal, elle dégouline le long du lit, le long de lui, il n'y peut rien, elle est tordue, des secousses dans tous les sens qui remuent la masse énorme, il s'accroche aux reins, les reins l'entraînent, le poids des chairs molles, comme des pieuvres, elles l'entourent de partout, il a le nez sur le ventre de sa mère, sur les cuisses informes, les petites jambes grêles s'écoulent le long de ses épaules, il ne peut supporter ni le poids ni l'odeur, il crie : « maman, maman », comme un enfant perdu. Elle est couchée sur le sol, la chemise remontée jusqu'aux seins, elle continue de s'agiter, il la maintient des deux bras, comme un lutteur, il la terrasse, elle ne bouge presque plus, juste la tête, la bouche est grande ouverte, si grande pour un si petit râle, un râle d'oiseau tombé du nid, les yeux le regardent, des yeux vides, qui ne voient rien, il s'est penché sur elle, il s'est couché sur elle, il lui a posé la bouche sur la bouche, il n'a plus rien senti, plus rien, il lui a passé la main sur le ventre, sur le front, le ventre froid, le front froid. Il a continué de crier : « maman, maman », moins fort, le jour commençait d'entrer dans la chambre.

Il retourna à la salle de bains. Il prit une serviette blanche, la plus grande. Il la passa sous la douche. Il l'essora comme une serpillière. Il revint la tenant au bout des mains jointes, comme un prêtre le ciboire. Il s'agenouilla auprès du corps. Le jour éclairait la chemise blanche sur le ventre de sa mère, le drap blanc sur le corps de son père, le jour auréolait le visage, la bouche béante, le silence les enveloppait comme un suaire, sauf, très loin, des bruits vagues, insignifiants. Claude n'éprouvait plus rien. Il était en dehors de lui, tranquille, automate. Il étala la serviette sur le visage, méticuleusement. Il attendit un peu. Pas un mouvement du corps, pas un signe. Il respira le silence, un instant il souleva la serviette, pour écouter encore, surprendre un souffle, c'était moins qu'un souffle, un halètement syncopé, mécanique, qui durait une fraction de seconde et revenait, comme la goutte d'eau d'une source tarie. De la main gauche Claude appuya la serviette sur la bouche qu'il maintint fermée, les doigts repliés sous le menton, de la main droite il appliqua la serviette sur le nez, il serra les narines, il se concentra, la tête rejetée en arrière pour guetter le moindre bruit. Sa mère parut remuer un moment. Il l'immobilisa. Ce n'est pas sûr qu'elle ait remué. Les jambes se replièrent, trois courtes crispations venues des genoux, puis elles retombèrent, mortes. Il maintint sa douce pression, le plus attentif des serviteurs, le plus tendre des fils, il attendit peut-être une heure, le jour était installé, immaculant le drap vide, la serviette, la chemise, dessinant leurs ombres nouées au sol. Elle ne respirait plus, il ne respirait plus, pas un mouvement d'elle, pas un mouvement de lui, leurs corps figés, glacés.

Il se releva. Les yeux fermés, il la prit dans les bras, par la taille, il se sentait une force irrésistible, il la souleva, comme un enfant, les jambes pendaient, les bras aussi, la tête il ne la voyait pas, rejetée en arrière. Il coucha sa mère sur le lit. Les yeux étaient grands ouverts, il les regarda une dernière fois, ses yeux froids comme de l'eau, il les ferma, il les rouvrit pour les regarder une fois encore, il rabattit les paupières d'un geste résolu, ses yeux fermés pour toujours. Il noua la serviette autour de la tête, pour remonter la mâchoire et serrer les lèvres, elle avait l'air d'une carte postale, une petite vieille, le fichu autour de la tête. Il ouvrit toutes les fenêtres, il embrassa la morte sur le front, sur les épaules, elle était calme comme le matin, il respirait à pleins poumons, elle ne souffrait pas, lui non plus, plus d'angoisse, plus de fièvre, elle était bien trop fragile pour vivre, elle n'avait jamais rencontré la vie, lui non plus, la mort leur convenait, elle les berçait.

Il vint se coucher à côté d'elle. Des deux bras il la tira vers lui. Elle était devenue légère, souple comme sa mère des premiers baisers, sa mère inclinée sur son lit. Il la prit dans ses bras, elle et lui, côte à côte, comme dans leurs rêves. D'une main repliée il lui tenait la tête, il lui caressait la tempe. L'autre main il l'avait posée sur le ventre froid, silencieux. Le cancer était mort, sa mère et lui enfin tranquilles, plus rien ne les dérangerait. L'air venait par la fenêtre ouverte, Claude remonta le drap, ils étaient tête contre tête, juste le front au-dessus du linceul, ils dormaient heureux.

XXIV

Il a dit à Thérèse qu'il l'appelait d'une cabine, qu'il n'avait que peu de monnaie, qu'ils partaient quelques jours, à Bologne, puis à Sienne, rien à craindre, il accumulerait les précautions, leur mère rêvait de connaître la Toscane. Claude avait la voix voilée, il toussait de temps en temps, il avait pris froid, pourtant le soleil ne les quittait pas.

Thérèse était heureuse, vaguement inquiète, elle craignait que Claude ne fût trop optimiste, ce mieux pouvait n'être qu'un répit, avec le risque d'une brutale rechute, elle lui dit qu'elle avait hâte de les revoir, de les serrer tous deux sur son cœur, il promit de rentrer vite, entre le 18 et le 20 novembre, elle trouva ce retour trop lointain, elle n'osa le lui dire, Claude se donnait tant de peine.

— Tu es formidable.

— Thérèse, ne m'oublie pas.

La voix semblait venir du bout du monde. Thérèse crut qu'il plaisantait, qu'il plaisantait mal, toujours la faute du téléphone. Ne sachant quoi dire, elle répondit :

— Toi non plus, ne m'oublie pas.

Elle regretta aussitôt ces mots échangés, bien sûr ils ne pouvaient pas s'oublier, pourquoi se le dire soudain, elle voulut corriger :

— Claude...

Il raccrocha, ou il manqua de pièces.

XXV

La matinée du 14 novembre, il a fait des tas de démarches, au consulat, à la paroisse, au service des inhumations. On l'a renvoyé de bureau en bureau. Il avait préparé une dizaine d'enveloppes, dans chacune des billets en nombre variable, pour que tout marchât bien, et tout a bien marché. Le médecin est venu en début d'après-midi, il a expliqué à Claude que cette mort était une chance inespérée, sa mère aurait pu souffrir des jours, peut-être des semaines, souffrir un martyre, mais la mort d'une mère laissait toujours triste, le médecin le savait d'expérience, il se confondit en condoléances, et signa le permis d'inhumer.

Ils vinrent à trois pour la mettre en bière. Ils la descendirent du lit, Claude les aida, il soutint la tête. Il demanda que l'on ferme aussitôt le cercueil, ils objectèrent, on laissait d'ordinaire le cercueil ouvert, pour la famille, pour le prêtre, Claude expliqua que l'usage était différent en France, on ne regardait jamais les morts. Il entendit les chevilles qui s'enfonçaient, elle et lui cloués à distance, chacun dans sa boîte, jamais deux morts dans le même cercueil.

XXVI

La nuit est venue. Il s'est rasé, il se promène dans leur appartement, il va, il vient, il a allumé toutes les bougies puis il les a éteintes entre les doigts, il ne veut plus aucune lumière, juste celle qui monte du canal par les fenêtres ouvertes, des clartés et des ombres auxquelles il ne peut rien, il tourne autour du cercueil, il marche, il s'assied, il s'agenouille, il se relève, il marche à nouveau, il va à la cuisine, il boit un verre de champagne, il revient, il appuie la tête sur le cercueil, il écoute, il voudrait la prendre dans ses bras, il a eu tort d'exiger qu'on ferme le cercueil, il veut le déclouer, il prend un chandelier pour taper, entre les planches, sur la pointe d'un couteau, il tord le couteau et il se coupe, il va essuyer son sang au rideau, il déchire le rideau pour se faire un pansement, une poupée, il retourne à la cuisine, il reprend un verre puis un autre, il parle, il demande pardon à sa mère, pardon pour ses cris d'enfant, pardon pour ses voyages, pour ses absences, il lui dit qu'il l'adore : « écoute-moi, j'ai à te parler », il annonce à sa mère qu'il va lui dire des tas de choses, tout de lui, en échange elle lui dira tout.

d'elle, il la supplie de ne rien lui cacher, il s'en prend à Thérèse, Thérèse aurait dû l'avertir plus tôt, il aurait emmené sa mère à New York, les Américains l'auraient guérie, tout est la faute de Thérèse.

Il va à la fenêtre. Il hurle : « vous êtes des salauds. » Le canal est désert, il entend sa voix qui vient de très loin. Il hurle plus fort : « vous êtes tous des salauds », si fort que des fenêtres s'allument dans les maisons d'à côté. Il a mal, il a froid, il titube, il se couche au pied du cercueil, il lèche le parquet, à l'endroit où gisait la tête, il lèche les cheveux dans la poussière, il embrasse le parquet, il baise cette bouche, sa bouche grande ouverte entre deux lames, il tousse, il crie : « Maman », « Maman », il pleure comme un gosse, il a pleuré toute la nuit, il a pleuré plus que toute sa vie, il a crié : « Maman » des dizaines de fois, au matin il n'avait plus de voix, plus de larmes, ses yeux étaient brûlés, le jour le dévisageait, il s'est relevé, il est resté un long temps debout, devant le cercueil, au garde-à-vous comme un soldat. Il s'est effondré comme une masse, il a heurté la table, elle s'est écroulée avec lui.

XXVII

La petite église San Maria del Giglio était entièrement
vêtue de noir, non seulement la façade de l'église, mais la
nef, l'autel, tous les piliers, tous les socles, jamais on n'en
avait tant mis. Le catafalque dressé au pied de l'autel
disparaissait sous un déluge de fleurs blanches. Claude
avait vidé les fleuristes de Venise, des gerbes, des
couronnes, des bouquets, toutes les fleurs blanches
venues à Venise, sa mère en raffolait, il avait trouvé tant
de fleurs qu'elles s'étalaient autour du cercueil, elles
montaient vers l'autel, l'autel aussi en était couvert, dix
vases de tulipes blanches sur le drap noir, on eût dit qu'on
enterrait l'enfant d'un roi, ce luxe fantastique avait réjoui
le curé, il l'avait inquiété aussi, le fils de la défunte lui
avait semblé étrange, trop fastueux, il avait distribué
l'argent pour la paroisse, pour les fresques, pour les
pauvres, à profusion, un fou généreux, tragique, il parlait
entre les larmes et les sourires, il mêlait le français et
l'italien, il soufflait comme un bœuf, il avait expliqué
qu'il respectait les volontés de sa mère, elle avait tout
écrit, tout prévu, lui n'était qu'un fils fidèle, aimant.

De chaque côté du cercueil se tenaient les deux croque-morts, raides, les pieds entre les gerbes, ils avaient l'air de cierges noirs parmi les cierges blancs, ils exprimaient une tristesse déférente, une tristesse étonnée, ils tournaient le regard, parfois même la tête, à gauche, à droite, l'église restait vide, pas un membre de la famille sur les trois rangs de sièges noirs qui bordaient le cercueil, pas un ami, pas un curieux, personne, cet amoncellement de fleurs pour rien, de temps en temps des touristes entraient, ils restaient au fond, près de la porte, effarés, ils sortaient sur la pointe des pieds, ce devait être une coutume de Venise, quelque chose comme une fête de la mort, sans doute interdite, ils faisaient des signes de croix par précaution.

Ils entrèrent, six enfants de chœur vêtus de noir, deux grands et quatre petits, et le prêtre, un vieux prêtre à cheveux blancs presque frisés, il avait revêtu sa plus belle chasuble, de velours pourpre, ornée d'une grande croix noire, les enfants s'écartèrent, le prêtre s'approcha de l'autel, du regard il fouillait l'église, l'église toujours vide, devant lui cet étalage de fleurs blanches, il regarda sa montre, il se prosterna. Au-dessus de l'autel les orgues retentirent, violentes, somptueuses, elles ébranlaient l'église entière. Les mains de Claude couraient sur les claviers, elles plaquaient presque sauvagement les grands accords comme s'il voulait fracasser la nef, toute la veille il avait travaillé son répertoire, des chorals de Franck, des préludes de Bach, tout ce qu'aimait sa mère, la Fantaisie Chromatique, soufflante, déchirée comme sa mère, elle n'arrêtait pas de l'écouter, il n'avait nul besoin des partitions, mais la mémoire ne lui revenait que par les mains, il avait revêtu son costume de velours bleu, il avait disposé un vase de tulipes blanches sur une chaise, tout près de lui, d'en bas on ne pouvait voir que ses épaules, ses cheveux trop longs sur sa nuque qui battait la mesure, il chantait, accompagnant les orgues, des paroles allemandes et latines, vraies ou fausses, des morceaux de prière et des poèmes, il les confondait, parfois il se retournait, il regardait furtivement sa mère sous ses pieds, attentif comme un maître de maison, vérifiant que personne n'approchât du cercueil, soudain il se dressait pour prendre des forces, les doigts tendus il s'appuyait au clavier, de tout son corps, il enfonçait les pédales, l'église tremblait.

Le prêtre qui célèbre la messe, la messe en latin, la messe de sa mère, sa mère ensevelie sous les fleurs, les enfants autour, des enfants beaux et graves, ses enfants, les pierres rongées par l'eau, les fresques délabrées, la lumière hésitante, pieuse, celle qui vient au travers des vitraux brisés, celle des cierges dispersés, et lui, lui qui dirige l'orchestre... tous ils ont les yeux fixés sur son archet, il les emmène au fil de ses mains, de ses bras, il commande les divines manœuvres, ici le silence, ici les plaintes, ici la gloire, ce n'est pas une prière, il ne sait plus prier, il ne veut plus prier, il offre à sa mère une fête somptueuse, pour sa mère des tables dressées, partout, dans la nef, dans le chœur, tout autour de l'autel, pour sa mère les plus beaux invités, ils commencent à entrer, les femmes se cambrent en pénétrant dans l'église, d'un mouvement brusque de la main elles ramassent les longs plis de leurs robes blanches, les hommes leur prennent le bras, ils dressent la tête, ils avancent d'un pas assuré, les couples s'asseyent peu à peu, les enfants de chœur, blonds, vêtus de noir, des dizaines d'enfants de chœur, emplissent des gobelets d'argent avec des gestes d'archanges, les plats arrivent portés à bout de bras par les croque-morts, des croque-morts au ventre plat, aux mouvements saccadés, des danseurs de tango, ils présentent des plats magnifiques, des saumons entiers, des foies gras échafaudés comme des gâteaux, et de gigantesques mille-feuilles. La rumeur commence à courir, les messieurs la murmurent aux dames sur un ton de confidence, en observant leurs seins, la mère de Claude va venir, elle vient, *Gloria in excelsis Deo*, Claude improvise le *Gloria*, il joue comme un dieu, comme Dieu, *laudamus te*, il monte à la tribune pour recevoir ses prix, tout le monde applaudit, le proviseur l'embrasse, Claude Hartmann est le premier, le meilleur, toujours le meilleur, le seul, mon fils est forcément le meilleur, gloire à lui, gloire à elle, la voici qui entre, ils se lèvent, tous ils lèvent leur verre, Claude aussi s'est levé, il est contraint de ralentir le rythme, moins de fièvre, plus d'ampleur, *adoramus te*, *glorificamus te*, elle s'avance, à tout petits pas, elle semble si fragile dans sa chemise de nuit blanche, elle salue de sa main gauche, une main d'enfant, les cheveux longs courent sur les épaules, des cheveux blonds, radieux, Claude s'est retourné, mais il ne voit pas le visage, juste une silhouette baignée de lumière, une vierge qui s'avance, elle flotte vers lui, elle s'élève, la plus glorieuse des assomptions, il a cessé de jouer, il tend les bras pour l'accueillir, en bas ils se sont tus, ils tiennent le gobelet d'argent à la main, ils attendent pour boire, boire à elle, boire à eux, ils lèvent la tête pour les admirer, pour les célébrer, elle, lui, vous mon amour, toi mon amour, la tête est retombée sur l'épaule, l'ombre efface la chemise, plus rien que le ventre étalé sur le lit, haletant, plus rien que l'église vide, Claude s'effondre sur le clavier, le prêtre tourne autour du catafalque, il s'agace parce qu'il se prend les pieds dans les fleurs, il secoue l'encensoir sur le néant, sur le silence, rien que la morte dans sa boîte, et là-haut son garçon qui s'agite comme un pantin.

XXVIII

Le corbillard glisse sur la lagune, on dirait une corbeille de fleurs, à l'avant les deux croque-morts, raides, les yeux fixés sur l'île aux tombes, à l'arrière le prêtre appuyé du coude sur son enfant de chœur, il n'a pas quitté la chasuble, il marmonne des prières que la brise emporte, Claude est assis à ses pieds, il tient entre les deux mains un immense chapeau noir, un chapeau de western, il le tourne lentement entre les doigts, le même chemin, en sens inverse, borné par les mêmes troncs d'arbre, serrés au cou par trois, par quatre, sombres comme des prisonniers enchaînés, le même soleil de midi, indécis, qui les avait caressés à travers la brume, comme un sourire à travers le voile d'un berceau, les mêmes mouettes tournoyant autour du bateau, l'accompagnant d'un vol presque immobile soudain cassé d'un plongeon, il avait regardé sa mère, elle ne bougeait pas la tête, elle ne disait mot, il avait dit bêtement, pour rompre le silence : « regardez, Maman, c'est le cimetière », elle avait répété : « c'est le cimetière », un peu plus tard elle avait ajouté : « on doit y être bien. »

Claude remuait les lèvres, les yeux fixés sur son chapeau, il faisait semblant de prier pour ne pas décevoir le prêtre, il distinguait à peine le ciel de l'eau, le ciel dans l'eau, le ciel tranquille au-delà des remous du bateau, l'eau dans le ciel transparent, une paix lui venait, de très loin, une paix qui ressemblait au silence, à la lagune, aux îles étalées, une paix venue de l'horizon effacé, de ce mouvement furtif, continu, à la surface de la mer, de la peau, une sorte de bonheur.

XXIX

Les croque-morts, l'enfant de chœur, le prêtre, tous les quatre ils étaient repartis, le travail accompli. Ils avaient voulu ramener Claude, impossible, il voulait rester à San Michele. Le prêtre l'avait approuvé, on n'a jamais assez prié pour sa mère. Claude trouverait un bateau, il se débrouillerait, encore des billets, des sourires, des adieux.

Il était seul, ou presque, dans l'île aux tombes, seul face à la tombe, une pierre blanche au pied d'un cyprès, ni croix, ni date, ni nom, rien que la pierre et les fleurs, personne ne découvrirait l'endroit, un secret entre sa mère et lui, un secret pour l'éternité. Il se mit à retirer les fleurs, beaucoup trop de fleurs, il les distribua entre les autres tombes, il choisit les morts les plus vieux, les plus oubliés, il ne garda pour sa mère qu'une gerbe de roses blanches, mais les roses commençaient à jaunir, à pourrir, comme sa mère, comme Venise, comme ferait le soleil tout à l'heure, la vie ça n'existait pas.

Pour se réchauffer, il fit trois fois le tour du cloître, sans marcher sur les pierres tombales. Puis il erra dans les jardins, il cueillit quelques roses et des chrysanthèmes jaunes, pour les porter sur des tombes abandonnées. Longtemps il se promena entre les maisons des morts, les maisons à six étages, avec leurs bouquets suspendus comme à des fenêtres fausses. Il allait, regardant les photos, lisant les dédicaces, tout ce que racontaient des vieilles aux vieux qui les avaient précédées, des femmes qui avaient vécu sans requête, qui n'avaient fait qu'aimer, pas des amoureuses, surtout pas des amoureuses, des femmes d'amour, lui il n'avait connu que des amoureuses, le miroir à la main, réclamant l'amour, un droit, un cadeau, une aumône, d'infatigables demanderesses.

Il avait faim. Il alla s'asseoir sur la tombe. Il ouvrit sa serviette. Il sortit un paquet de biscuits, il les mangea l'un après l'autre avec application.

C'était l'heure de la sieste. Il s'allongea sur la tombe. En vacances elle l'obligeait toujours à dormir après le déjeuner, Thérèse se couchait sur le lit, à côté de Claude. Les enfants doivent se reposer aux heures chaudes. Il regardait au plafond les fentes des persiennes, il écoutait les mouches. Leur mère entrouvrait la porte. Elle mesurait le silence. Elle murmurait : « Claude, mon chéri, tu dors ? » Il se taisait, il feignait de dormir. Ou bien il répondait : « oui, je dors, maman chérie », d'une voix absente, ensommeillée.

XXX

Six jours Thérèse avait attendu, la main sur le téléphone, folle d'impatience puis d'inquiétude. Ce silence se prolongeait trop, il ne ressemblait pas à Claude. Elle nous a mobilisés, Pierre d'abord, puis Hélène, et moi, nous avons téléphoné partout, à Venise, à Paris, pas la moindre nouvelle, nous avons fait le tour des relations de Claude, Thérèse et Pierre se sont partagé l'arrivée des avions de Venise, ils regardaient passer les voyageurs du premier jusqu'au dernier. Thérèse ne mangeait plus, ne dormait plus, pour ne pas manquer le moindre signe. Le 25 novembre elle est partie pour Venise.

Elle y est restée près de six mois. Pierre ne cessait de la suivre, ne rentrant à Paris qu'entre deux avions, il ne voulait pas qu'elle restât seule plusieurs jours, il avait peur pour elle, surtout c'était son devoir, sa mission, de veiller sur elle, Claude la lui avait confiée. Hélène et moi nous les avons rejoints à Venise à la fin de février, nous avons cherché avec eux. Thérèse commandait les démarches. On ne parlait jamais de rien d'autre. On se retrouvait à heures fixes, aux repas, pour faire le point.

Nous avons remué tout Venise, suivi les pistes les plus insensées. Le jour Thérèse ordonnait, commentait, elle dressait procès-verbal comme un officier de police judiciaire, elle nous assignait nos tâches. La nuit elle devait pleurer. Au matin ses yeux étaient lourds, mi-clos. Elle maigrissait. Elle vieillissait

XXXI

Nous avons retrouvé les chambres du Gritti où ils avaient vécu deux jours, puis l'appartement qu'ils avaient habité. Claude avait payé un an de loyers d'avance. Il avait quitté leur maison, comme il les quittait toutes, sans un objet qui traînât, sans un signe de lui. Il avait dû faire le ménage, pendant des heures, des jours, effacer la moindre trace, les chandeliers avaient été soigneusement nettoyés, impossible de savoir s'il y avait mis des bougies, impossible de reconnaître le lit où elle avait dormi, le lit où il avait dormi, le linge n'avait pas été loué, pas de linge, il l'avait sans doute acheté, et jeté, pas une bouteille vide, pas une tache sur une casserole, une maison momifiée, l'infirmière ne vivait plus à Venise, partie sans adresse, rien, personne, nulle part, qui parlât d'eux. Thérèse venait presque tous les jours, elle errait une heure ou deux, elle touchait à tout, elle essayait d'inventer des souvenirs, à partir du lit, de la table, elle déplaçait des meubles, son frère, sa mère, elle voulait les faire dîner, les faire dormir, mais aucune image ne venait, elle restait sans eux, désespérée Parfois elle doutait qu'ils eussent vécu là. Un jour de janvier elle eut la force de fermer la porte à double tour, elle ne rendit pas la clef, elle la jeta dans le canal, juste sous la fenêtre, la fenêtre de Claude, pour ne plus revenir.

Thérèse a découvert la tombe. Elle a reconstitué toutes les démarches de Claude, en deux jours il avait remué des montagnes, il avait racheté la concession à une famille vénitienne, il avait payé cinq fois le prix, la pierre tombale il l'avait obtenue en quelques heures, sans nom, sans date, sans croix, le vieux marchand se souvenait bien, un Français qui parlait italien, barbu, rapide, généreux, un excellent client.

Au cimetière on l'avait vu. Les gardiens l'avaient souvent remarqué, il arrivait dès le matin, il restait toute la journée autour de la tombe, il repartait par le dernier bateau. Thérèse a interrogé des prêtres, des croque-morts, des visiteurs qui priaient sur les tombes voisines. Quelques-uns avaient aperçu ce personnage étrange, il marchait entre les pierres en marmonnant, parfois il déplaçait des fleurs, il les répartissait entre les morts, parfois on le voyait assis par terre, à l'ombre d'un cyprès, il saluait : « *Buon giorno Signora… Buon giorno Signor…* » d'une voix étrangère, il retirait son grand chapeau qu'il agitait au bout du bras, il ne dérangeait personne. On l'avait vu en novembre, peut-être encore au début décembre. Il avait fait très froid. On ne l'avait plus vu.

XXXIII

Paola raconte, Thérèse et Hélène l'écoutent avidement.
Paola tourne et retourne son café. Elle n'arrête pas de
regarder les gens qui entrent, qui sortent, elle fait des
signes, des sourires, elle ne veut pas perdre un clin d'œil.
A la première rencontre elle a trouvé Claude distant,
courtois, très pressé de partir, comme à l'ordinaire. Le
lendemain il lui a semblé presque fou. Maintenant elle
comprend mieux, il lui cachait son désespoir. Elle a eu
très peur. Elle a honte encore. Le récit de la scène affole
Thérèse. Elle supplie Paola de se souvenir. Rien d'autre ?
Non, Paola ne trouve rien d'autre. Plus le moindre
détail ? Non, elle a tout dit. Elle se recoiffe pour mieux
réfléchir. Elle croit qu'il a pleuré. Elle est certaine qu'il a
pleuré. Bien sûr il était capable de la tuer. De se tuer ? Il
en était tout à fait capable. Elle se lève, elle les embrasse
l'une et l'autre : « on se reverra sûrement à Paris, on se
reverra. » Thérèse est muette, désespérée, Paola l'embrasse encore : « pauvre Claude, je l'aimais tant », elle
s'éloigne, passant devant le bar elle se regarde dans une

glace, elle se cambre, elle se sourit, elle sourit au barman, elle ondule, elle se retourne, un dernier mouvement de la main, un baiser sur deux doigts, un dernier mouvement de la hanche, elle est dans la rue.

C'était à la fin mars, nous avions pris le vaporetto, Pierre et moi, nous voulions déjeuner au restaurant de la Fenice, Claude y avait souvent emmené Hélène, une fois encore nous allions interroger les serveurs, nous perdions notre temps, déjà quatre mois, aucun signe, nous ne trouvions plus rien à nous dire qu'échanger nos souvenirs, et parler de Venise, nous étions tous les deux accoudés au bastingage, à l'avant du bateau, pour prendre le soleil, Pierre avait répété, deux ou trois fois en une heure : « Il vit forcément... je sais qu'il vit. » Pierre se donnait du cœur, il tachait de nous en passer, je me disais qu'il n'avait pas compris grand-chose à Claude, ni moi ni personne.

A la station de San Toma notre vaporetto croisa l'autre, qui parcourait le canal en sens inverse. Les deux bateaux vinrent tout près, à peine quelques mètres les séparaient. Soudain Pierre hurla :

— Claude, Claude...

Les gens autour se retournèrent, Pierre avait enjambé le bastingage, il avait le bras, le doigt pointé sur le bateau d'en face qui s'écartait lentement, sur un voyageur dont on ne voyait que la tête et les épaules, un barbu, avec un grand chapeau, Pierre n'arrêtait pas de crier :

— Claude, réponds-moi.

Mais l'homme restait figé comme une statue, il n'entendait pas, il s'effaçait peu à peu, je serrai violemment Pierre dans mes bras, il répétait : « Claude, Claude », de moins en moins fort. Il me sembla là-bas que l'ombre avait déguerpi.

Toute une semaine, Pierre passa sa journée sur le vaporetto. Tôt le matin il remontait le Grand Canal de la première à la dernière station, puis il le descendait, il recommençait jusqu'à la nuit. Il croyait avoir reconnu Claude, Claude vivait, Claude reviendrait. Il m'en voulait d'avoir mal vu, de l'avoir empêché de se jeter à l'eau. Au début d'avril Thérèse l'obligea à quitter Venise. Il errait sur les quais, hurlant le nom de Claude, il le cherchait au fond des églises, il dévisageait tous les barbus.

XXXV

A Pâques, j'ai décidé de regagner Paris. Le dernier jour j'ai arpenté Venise dans tous les sens, de San Marco au Rialto du Rialto à San Lucia, de San Lucia à la Salute par la Piazza Roma, j'ai longé les canaux, je me suis perdu dans des ruelles désertes, je marchais de plus en plus vite, je voulais fouiller Venise, une dernière fois, à la tombée du jour je suis revenu à San Marco, je me suis assis à la terrasse d'un café, épuisé.

Claude ne viendra pas. S'il venait j'entendrais son pas, de très loin, son pas hésitant, il suspendait le pied gauche au moment de le poser, il retardait son pas comme s'il réfléchissait, il semblait boiter, je reconnaîtrais son souffle, son souffle trop lent, son cœur trop lent, son cœur d'enfant blessé, déjà blessé d'être né. Chaque geste, chaque mot le déchirait, il était trop intelligent, trop sensible, nous n'avons pas su le protéger, nous ne l'avons pas même rencontré. Je me lève, je change de terrasse, je commande un autre café que je ne boirai pas, la nuit descend, je vois passer des ombres, des touristes de la vie, par deux, par quatre, ils ne savent rien de leur prochain voyage, ils s'en moquent, lui il ne posait pas le pied sans chercher à savoir, il voyait mal parce qu'il regardait trop loin, son regard toujours au-delà, je parle, il écoute, il fait semblant d'écouter, il comprend mieux que s'il écoutait, il se lève, il m'embrasse sur la tempe, il balance entre la tendresse et la courtoisie, il s'en va, il se retourne, il me regarde encore, cette manière de vous rassurer, de vous consoler, lui il était inconsolable.

Il ne demandait rien, d'ailleurs personne ne pouvait rien. Il s'en est allé comme il était venu, infirme, désespéré, si aimable. Pierre a tort de l'attendre, je crois que nous ne le verrons plus. J'erre sur la place, des gens par paquets, les mêmes, ou d'autres, pareils, qui rient, qui parlent fort, je fais le tour de San Marco, ni son pas ni son souffle, ici rien ne lui ressemble, il est parti, reparti, à peine le temps d'une halte parmi nous, une halte compatissante, pour tâcher de nous être agréable, il venait d'ailleurs, il allait ailleurs. La nuit est épaisse, je marche le long du Grand Canal, Claude étouffé, recouvert par la vase, Claude courant à la surface de l'eau, comme une mouette, Claude étalé devant la porte d'un palais, endormi, Claude bercé par un rêve, emporté par une gondole, Claude sur la passerelle d'un avion, son sac à la main, il se retourne, il me regarde encore, Claude sur un lit d'hôtel les veines ouvertes, le sourire figé, les yeux immobiles, ses yeux absents, fervents.

Je rentre à l'hôtel, marchant lentement. Par moments je déséquilibre un peu mon pas, je tâche de lui ressembler, je murmure : « Thérèse... ma Thérèse », j'imite sa voix, des passants se retournent, je prie qu'il me prête ses mots, son allure, mon ami perdu, je le vois couché sur un lit d'hôpital, j'attends derrière la porte, je tiens Thérèse par l'épaule, le médecin vient vers nous, les yeux à terre, il annonce : « C'est fini », Claude nous prend à la taille, tous les deux, il rit mécaniquement, il rit mal, il n'était fait ni pour le rire ni pour les larmes. Je ferme ma lampe. Venu du canal son sourire se prolonge, un moment, sur le mur, il tremble, il revient, il s'efface, comme une symphonie qui s'achève, une bougie qui s'éteint, j'appelle : « Claude », il se tait, je recommence, un silence du bout du monde, son silence quand on le dérangeait.

XXXVI

Thérèse n'est rentrée qu'en mai, vaincue par la fatigue. Au début de novembre elle a repris l'avion pour Venise. Elle avait retrouvé quelques forces, elle décida de partir seule, elle voulait fleurir la tombe de sa mère, elle voulait surtout être au cimetière le jour du premier anniversaire, peut-être Claude viendrait-il. Elle est restée près de quinze jours à San Michele, tournant autour de la tombe, elle arrivait le matin vers neuf heures, elle attendait, sous le soleil ou sous la pluie, elle déjeunait d'un sandwich, comme son frère elle repartait par le dernier bateau.

Nous l'avons à peine reconnue quand elle est revenue, vêtue comme une bohémienne, maigre, le visage marqué par le soleil et par les larmes. Elle nous a dit qu'elle abandonnait toute recherche. Elle nous a demandé d'en faire autant. Claude était libre, il avait fait son choix, son choix était de s'en aller, sa mort, sa vie, c'était son secret à lui, elle le respecterait. Simplement elle attendrait Claude jusqu'à la fin. Elle l'adorerait jusqu'à la fin.

Claude et sa mère, Claude et son père, Claude et elle, des photos chez elle il y en a partout. Au-dessus de son lit leur mère est assise, elle semble toute jeune, elle est au sommet d'un rocher, serrée dans une jupe étroite, ils sont assis plus bas qu'elle, ils sont en maillot, ils ont sept et huit ans, elle a les mains posées sur leurs têtes, tous les trois ils regardent la mer, ils sourient tous les trois, le même sourire, le même regard tendre, désarmé, c'est le père qui a pris la photo.

De Claude elle ne veut plus parler.

Pierre a insisté pour la conduire chez un avocat. Claude n'avait laissé que quelques dettes, elle les a réglées, son petit appartement elle le garde comme un musée. Mais la succession de leur mère obligeait à des démarches. L'avocat leur a longuement expliqué que Claude Hartmann n'était encore qu'un absent présumé, que Thérèse devrait engager une procédure. Dans dix ans l'absence de son frère pourrait être constatée.

Composition Bussière
et impression S.E.P.C.
à Saint-Amand (Cher), le 22 septembre 1986.
Dépôt légal : septembre 1986.
1er dépôt légal : juillet 1986.
N° d'imprimeur : 1727.

ISBN 2-07-070755-5./Imprimé en France.